Le cri du loon

Du même auteur :
La création romanesque chez Gabrielle Roy, Montréal, Cercle du livre de France.
Languirand et l'absurde, Montréal, Cercle du livre de France.
Exorcismes, Paris, Pensée universelle.

Merci au Conseil des Arts du Canada
et au Conseil des Arts du Manitoba
pour l'appui financier apporté à la
publication de cet ouvrage.

Maquette de la couverture :
Michel Le Blanc

Données de catalogage avant publication (Canada)

Genuist, Monique

    Le cri du loon
    ISBN 2-921353-07-5

I. Titre.

PS8563.E58C74   1993   C843'.54   C93-098036-0
PQ3919.2.G45Ct4   1993

Dépôt légal : 1ᵉʳ trimestre 1993, Bibliothèque nationale du Canada
et Bibliothèque nationale du Québec.

Directeurs : Annette Saint-Pierre et Georges Damphousse

© Les Éditions des Plaines, 1993

Monique Genuist

Le cri du loon

Les Éditions des Plaines
Case postale 123
Saint-Boniface (Manitoba)
R2H 3B4

À Yves Berger,
ce fou d'Amérique

Chapitre 1

Remontée à vive allure vers le nord. Elle a vagabondé à travers le pays et rentre de son échappée dans le plein été, brûlée de vent et de soleil, ayant éparpillé en chemin ses compagnons de route.

Depuis l'aube, elle roule seule, enchantée du refrain qu'elle s'est inventé au rythme de sa course : Ariane, petite-fille d'Hélios, épouse de Dyonisos, fille de la belle Isa, au milieu des hélianthes, là-bas...

Isa passait pour gitane sur la terre de blondeur où elle avait échoué, entraînée par un jeune mari, timide et rose, épris d'exotisme. Isa au sourire éclatant et aux yeux sombres. Ses bras brunis où Ariane se lovera tout à l'heure. Isa la noire, la douce, la chaude l'attend pour la choyer, la bercer, la garder.

Pourquoi quitter la maison blanche, se séparer encore d'Isa qui sait lui redonner vie chaque matin. La perspective d'un nouveau départ imminent, d'une autre longue absence, brise déjà sa joie du revoir. Sans doute Isa a-t-elle posé la lettre mal venue, en évidence sur la nappe à carreaux rouges, à côté de sa tarte aux fruits, à peine sortie du four, la pâte fondante – l'eau lui en monte aux lèvres – une tarte aux brimbelles âcres qui barbouillent les dents de violet noir.

Lettre annonceuse de quelque ville brumeuse où elle sera condamnée à rabâcher le français à de jeunes misses raides comme des piquets, et insolentes en plus. En même temps, pour améliorer son anglais incertain, elle devra tenter d'engager conversation avec des gens qui, on le sait bien, ne parlent pas. Elle s'éloignera à contre-coeur; dans sa demande elle avait renoncé à indiquer un lieu de préférence. Elle n'a envie de se perdre ni à Londres, ni à Manchester, ni à Sheffield, ni dans aucune de ces villes qu'elle prévoit toutes identiques, infinie succession de maisons en brique rouge, agrippées les unes aux autres, mangées de pluie. Elle aime le soleil et ne désire pas se détacher d'Isa, pas maintenant, pas encore.

Les études ne lui disent plus rien. Au lycée, l'avait séduite l'allemand, langue d'une poésie rugueuse, dure et musicale, mais ils vivaient trop près de la frontière, restée, longtemps après la guerre, zone interdite.

Son père n'avait pas pardonné aux envahisseurs. Ils avaient écrasé la région, l'avaient noyée sous une lourde vague de cruauté. Il ne permettrait pas à sa fille unique de se perfectionner dans leur langue. Une très ancienne et pénible histoire remontant à Charlemagne. La Lotharingie n'en finissait plus d'être déchirée. Pour lui, comme pour ses grands-parents et ses parents émigrés d'Alsace, il n'y avait d'allégeance que française. Pourtant, son nom était rauque, et il avançait dans la vie, poussé par un sens forcené du devoir et du travail, tempéré par un fond de sentimentalité romantique. Des yeux bleu opale, les cheveux presque blancs, un teint translucide, ses traits droits, purs et nets, ses complets-uniformes d'une raideur stricte auraient pu le faire passer pour quelque officier aryen, n'eût été la douceur du regard.

Peut-être en défi de l'héritage germanique s'était-il tourné vers Isa, chaleureuse plante du Sud dont la peau hâlée odorait. Il aimait la caresse des yeux profonds, le rire de la voix modulée. Elle lui avait donné une seule enfant, blonde comme la paille. Dès l'adolescence, nourrie à la source barbare, la petite scandait à haute voix les chants de la Lorelei et de l'Erlkönig. Il fallait rompre la fascination atavique. Il décida d'offrir à sa fille d'autres légendes beaucoup plus lointaines, inaccessibles, venant de contrées où elle ne serait pas tentée d'aller se perdre. Pour elle, il avait redécouvert les sagas du Nord. Il lui avait lu les histoires de loups et de chercheurs d'or dans l'Arctique américain, aventures dont l'enfant s'était gavée.

Pour gagner sa vie, elle avait décidé d'imiter les poètes chanteurs. «Tu veux donc terminer en crève-la-faim, avait menacé son père d'un ton cassant. Des métiers de misère, aucun avenir là-dedans, surtout pour une femme.» Elle s'était rabattue sur l'anglais, fluide, aux contours indécis que sa bouche maîtrisait mal.

– L'anglais, ça t'ouvrira toutes sortes de possibilités dans l'administration, les affaires, la politique, avait-il approuvé, ponctuant l'air d'un large geste emballé, et si les portes refusent de s'ouvrir, tu peux toujours devenir fonctionnaire. Fonctionnaire, il n'y a encore rien de mieux, le travail assuré, bonne retraite, un salaire pas formidable, il est vrai, mais la sécurité.

Marqué par les guerres, son père vivait frileux, inquiet, précautionneux. Ariane avait trouvé ses propos incongrus, elle avait quand même suivi les conseils de ce gagne-petit, voit-petit, briseur de rêves. Elle avait appris à écouter.

À vingt ans, elle serait casée, institutrice; au mieux, professeur de lycée en province où elle ferait ânonner, à perte de vie, la conjugaison des verbes irréguliers à des élèves impatients d'être ailleurs. Elle s'imagine mal, aspirée au milieu du ballet triste des enseignants aux blouses crayeuses qui ont traversé sa jeunesse vive sans l'atteindre; ils se balançaient hésitants devant le tableau noir, griffonnant inlassablement des figures géométriques mal équarries, des lettres au carré ou de ridicules séries de chiffres illisibles, précédés de signes cabalistiques, pour prouver avec un sourire entendu que a égale b. Elle ne comprenait pas, n'écoutait plus, s'amusait avec son meilleur copain, un vaurien fumiste, fantaisiste, persécuté des maîtres. Un autre enseignant, scrupuleux, ennuyeux, expliquait *ad nauseam* au troupeau indifférent les enjeux du débat cornélien tandis que le chahuteur récitait à voix basse *Le bateau ivre*, parlait de tout plaquer là, d'en finir avec la crétinerie du lycée.

Il s'engagerait sur un navire en partance, vers les Amériques, il ne reviendrait pas. Un beau matin, il avait disparu ne lui laissant que le goût d'un baiser maladroit. Il continuait de la hanter; elle retrouverait un jour son sourire heureux, au hasard d'une escale, durant un de ses voyages au long cours...

Son père avait conservé Isa en pot comme une belle fleur noire. Ariane aura un emploi, elle, pas trop loin de sa mère qui lui a manqué pendant son équipée des dernières semaines. C'est Isa qui l'avait presque chassée sur la route des vacances :

– Tu as passé des heures à t'anémier sur tes études; allez! va, tu as besoin d'espace, de jeunesse, de rires et de rosée.

Ariane se trouvait bien dans le jardin de fleurs et d'oiseaux, à lire des romans d'évasion, assise sur la vieille chaise de paille. Les odeurs du thym, du basilic et de la menthe montaient de la terre, derrière les buissons bleutés du romarin. De temps en temps, elle sautait de sa chaise pour rejoindre Isa et, bras dessus bras dessous, elles faisaient le grand tour du domaine où triomphaient les bouquets dorés et rouges.

– Tu lis trop, ferme ces livres, appelle tes amis et sors du jardin. Je guetterai ton retour avec des paniers débordant de fraises, de groseilles sures et de cassis âpres.

Isa serrait contre elle sa fille, mêlant ses longs cheveux sombres aux boucles blondes. Est-il possible de trop aimer? Elle ne le croyait pas vraiment. Elle avait souhaité une nichée de poupons roses et potelés qu'elle aurait chéris l'un après l'autre et tous ensemble. Il ne lui était venu que cette enfant à qui elle vouait une immense tendresse.

Il y avait deux ans à peine, son fragile compagnon était mort subitement, les abandonnant toutes deux. Absence douloureuse, difficile à combler; il n'avait cependant pas été question de suffoquer Ariane pour compenser le vide. Elle avait tenu à laisser la jeune fille s'épanouir libre, indépendante. Elle se ferait légère même dans l'amour.

Aujourd'hui, elle espère le retour d'Ariane. Sur la table, elle a laissé la lettre qui promet d'emporter son enfant, Dieu sait où. Depuis le matin, elle court, du potager à la cuisine, prépare des légumes frais et tendres. Elle a rempli les vases de ses roses les plus savoureuses. Dans le champ de tournesols, devant la maison, elles célébreront tout à l'heure, avec des rires, leurs retrouvailles.

Ariane avance rapidement dans le paysage redevenu familier. Route allègre au long des champs inégaux que pavoisent bleuets, coquelicots et marguerites parmi la houle légère des blés et des orges. Une ligne de paysannes à fichu, courbées sur les rangées de pommes de terre. Elle monte vers les coteaux pétillants de raisins d'où coulera un vin gris, mousseux de soleil. Sur les hauts de Meuse jaillit le Mont Sec, rond et blanc, monument à la grecque, témoin d'une époque pas très lointaine où l'on vendangeait les hommes jeunes, venus de partout, jusque de l'Amérique, tacher de leur sang les terres de craie.

Elle grimpe à l'ombre fraîche des boisés, se laisse

couler sans effort vers la vallée aux vergers gonflés de mirabelles juteuses et de quetsches violettes. La récolte sera excellente cette année. Dans les prés d'herbe haute, au bord de la rivière sinueuse, les troupeaux font des ronds près des haies, sous le feuillage argenté des peupliers. Contrée verdoyante et rustique, sans grand contraste, sans violence apparente.

En plein midi, elle réveille au passage les villages aux murs lézardés, assoupis au creux des champs, arrêtés dans le temps. Des églises sans grâce montent la garde sous le casque lourd de leur clocher bleu ardoise. Son vélo fait fuir deux ou trois poules effarées qui partent à courir à travers la route, dérange un troupeau d'oies. Un jars féroce se lance à sa poursuite, la menaçant de cris discordants et de son cou déployé, tendu vers ses mollets.

Un petit vieux crampi, assis sur un banc de pierre contre le mur chaud de la ferme, les mains nouées sur une canne plantée devant lui. Il relève la tête, plisse les yeux dans la lumière crue pour voir passer la longue fille en shorts. Elle le salue et il répond, portant lentement la main de sa canne à sa casquette, hochant la tête.

Monde en ordre, en équilibre où s'est tarie pour un temps la passion de la guerre.

Chapitre 2

Elles restent bouche-bée. Incrédules, elles se regardent. Entre elles, un nom de ville insolite dont elles ne savent que faire. On offre à Ariane un poste de lectrice dans une université canadienne.

Isa a mal au coeur. Le Canada c'est vaste, trop loin et si étranger. Sa fille embarquée pour l'autre bout du monde! Ne peut-elle apprendre l'anglais en Angleterre comme les autres? Ce serait tellement plus raisonnable. Elle aurait pu revenir à Noël, à Pâques, même aux petites vacances, tandis que de là-bas...

Isa fronce le front, sa bouche tombe en une moue triste que soulignent deux rides creusées le long des joues. Elle se fait violence pour transformer cette laide grimace de vieille femme en une ébauche de sourire et dit avec quelque effort :

— Quelle chance tout de même! Imagine un peu, ton premier poste en Amérique, au lieu d'aller te noyer dans un misérable pensionnat pour jeunes Anglaises. L'Amérique, cette terre neuve où même les pauvres sont riches. Dans mon temps, les filles ne partaient pas mais si j'avais reçu une telle offre à ton âge, moi, j'aurais crié de joie et je me serais enfuie sans un regard en arrière.

Elle se voit elle-même, jeune fille, en train de découvrir le Nouveau Monde et s'enthousiasme presque pour de bon.

Ariane se réfugie près de sa mère.

– Et toi, maman, seule ici?

– Ne t'inquiète pas pour moi, j'ai mon jardin, ma maison. J'adopterai une belle chatte pour te remplacer. Et puis, tu me reviendras à l'été et tu me raconteras. Isa arrange doucement les cheveux de sa fille. Le ton léger, son air détendu trompent un peu Ariane.

Peut-être maman a-t-elle besoin de liberté? Elle doit être fatiguée que je la couve. C'est elle qui m'encourage encore à la quitter. L'Angleterre, ça ne me tentait pas du tout, mais le Canada! Le nom magique rime avec Amérique, fait surgir les images claires des pays du froid, un soleil aveuglant sur la neige… le grand silence blanc de Rouquette et de Curwood, au Sun Rock la famille de chiens-loups, Kazan, Louve Grise et Bari, leur petit… sur la route du Klondike, les pèlerins de l'or.

Elle se rappelle leur arrivée à Dyea quelque part sur la côte du Pacifique nord, la terrible ruée des pieds-tendres vers le col imprenable du Chilkoot, avec des charges énormes de bagages sur le dos, par des froids de moins cinquante degrés; d'autres traversent des canyons vertigineux, descendent des rapides infernaux, peinent aux portages harassants pour atteindre, à bout d'effort, le Yukon et Dawson City.

Avec les héros du Nord, elle a vécu les courses épuisantes à travers l'immensité des terres glacées et silencieuses. Elle se laisse emporter. Un attelage de huskies efflanqués tire un traîneau chargé de fourrures sur un lac gelé. Derrière, court un trappeur, chaussé de raquettes. Au coucher du soleil, il dresse son camp à l'abri d'un bois de bouleaux nains. Les bêtes sans cesse affamées se disputent les lambeaux de viande rigide, les hurlements des loups en écho aux hurlements des chiens.

Perdu sur l'inlassable platitude de la toundra enneigée, au milieu de la nuit boréale, un aventurier de sang mêlé maintient avec difficulté un maigre feu vivant. Une bande de loups étiques le cernent, rampent de plus en plus près de la flamme. Il les chasse, leur lance des brandons brûlants, parce qu'il veut garder ses dernières balles. Le cercle des yeux avides brille dans l'ombre.

Sur un lac sans nom, dans une forêt du Nord éclate le rire étrange d'un grand oiseau à tête noire, au plumage en damier gris métallique et blanc; il l'emmène vers les territoires imaginaires devenus soudain accessibles.

Les bras fermés de sa mère ne sauront la retenir. Isa a vraiment besoin de son indépendance; elle veut le croire.

– Ça se trouve où, au juste, Saskatoon? demande sa mère d'une voix anxieuse.

Saskatoon, la musique étrangère du nom glisse et roule. Ariane aime le mot, le répète, le savoure. Dans le dictionnaire, sa mère a lu : «centre commercial et industriel de Saskatchewan dans la prairie canadienne».

Pour Isa, prairie rassurante, champs d'herbe grasse où paissent des bêtes tranquilles, sous les peupliers près d'un ruisseau argentin. Ariane se souvient d'avoir vu quelque part une photo différente, une plaine illimitée, sèche, parfaitement étale, sans arbre, sans ombre, divisée en rectangles uniformes, gardée par de hautes tours carrées. La prairie, une immense terre herbeuse où dévalaient autrefois, en troupeaux puissants, les bisons.

Plantée au coeur du continent, Saskatoon est fort éloignée du Québec, pays de Maria Chapdelaine, de ces gens qui parlent encore français en terre américaine. Sur la carte, la ville paraît proche de la frontière des États-Unis, pas très loin des montagnes Rocheuses, résolument tournée vers l'Ouest. Deux lignes de chemin de fer parallèles barrent le pays de l'Atlantique au Pacifique, longent les grands lacs pour se rendre jusqu'en Saskatchewan où se terre Saskatoon.

À la toute nouvelle ville, au centre d'une steppe inconnue, se pêle-mêlent dans la tête d'Ariane les trappeurs de Jack London en partance d'Edmonton, engagés par la Compagnie de la Baie d'Hudson, les chasseurs de fourrure et les chercheurs d'or, les hivers terribles dans le Yukon, un univers sauvage défendu par un bouclier usé, territoire sans fin d'eau, de forêts et de lacs au-dessus duquel retentit le cri moqueur, insistant du bel oiseau solitaire, gardien du Nord. Il faut partir en quête des rêves de l'enfance.

La tarte parfumée toujours intacte sur la nappe à carreaux rouges. Devant la maison blanche, par-dessus la clôture, les hélianthes s'inclinent vers le soleil couchant.

Chapitre 3

Grincements rouillés de cordages, ferraille déman-
telée. Du Havre brumeux le paquebot blanc se détache
majestueux et lent. La sirène a déchiré le ciel bas à trois
reprises de son salut enroué à la côte. Sur le sillage
tumultueux monte en cris égarés le choeur avide des
mouettes et des goélands gris plombé. Ariane suit le
troupeau docile et ordonné des passagers, et se retrouve
dans une cabine claustrophobique, occupée par deux
vieilles dames affairées qui l'accueillent en nasillant. Elles
ont l'air de se connaître. Ariane range quelques effets.
Ses livres, ses dictionnaires, les épais lainages pour af-
fronter l'hiver canadien sont à fond de cale dans la
grande malle en osier où sa mère, dans le temps, avait
serré son trousseau de jeune fille.

Après la ferveur hâtive des veilles de départ, Ariane
se sent soudain vidée, incapable de se secouer pour
courir sur le pont, regarder une dernière fois disparaître
les falaises de son pays qui s'en va. Elle tente vainement
d'apercevoir quelque chose par le hublot, au niveau de
l'eau. Sur la vague verdâtre, seul danse le petit sourire

creusé dans le visage de sa mère. Isa restée à quai, le bras tendu, dans un geste désemparé d'adieu. Isa à qui elle est liée davantage depuis que son père les a quittées. Elle ne s'est jamais très bien entendue avec lui. Le regard de métal bleu était gentil et doux mais elle ne pardonnait pas à son père son obstination à la diriger, ni la façon goulue qu'il avait de se nourrir de sa femme, lui prenant ses forces vives pour s'en repaître. Ariane et lui se disputaient Isa qui rayonnait son trop plein de chaleur sans discernement. Quand il est mort brutalement, elle a été comme soulagée. Elle avait essayé de partager la peine d'Isa pour la réconforter et aussi parce qu'elle avait un peu honte de ses yeux restés secs. Elle n'aime pas être blonde et parfois mal assurée comme lui. Maintenant qu'Isa lui appartient toute, voilà qu'elle s'éloigne vers ces régions polaires qu'elle n'est plus certaine de vouloir atteindre.

Ses compagnes émergent l'une après l'autre de la minuscule salle de bains. Recoiffées, fardées et parfumées de frais, elles se sont fabriqué des visages de jeunesses. Elles sortent toutes pomponnées pour la soirée de bienvenue à bord. Installée sur la couchette du bas, Ariane entend le grelot de leurs petits rires étouffés. Bercée par le bruit de l'eau, elle s'endort.

Le lendemain, elle part explorer, se perd dans le labyrinthe des couloirs étroits, tombe sur une salle de cinéma vide, traverse de vastes salons luxueux où lisent des gens grisonnants. Elle monte jusqu'au pont supérieur, éventé et désert. Les côtes se sont évanouies, l'Angleterre doit déjà être loin derrière eux. Le bateau solitaire avance en haute mer. Elle marche seule, fait les cent pas, respirant la brume froide.

Au soir, sous le souffle d'un vent violent venu de côté, les vagues glauques enflent et se creusent, accentuent le roulis. Elle descend à la salle à manger en fête, spacieuse, brillamment éclairée, au milieu de laquelle évolue un quadrille gracieux de garçons stylés en livrée impeccable. On la place auprès de deux couples d'un certain âge. Ils rentrent de leurs vacances en Europe et ont commencé à échanger leurs impressions de voyage. Gentiment, ils essaient de l'inclure dans la conversation mais leur accent nasal américain lui est difficilement compréhensible. Elle cache sa gêne sous un sourire figé, un peu niais, et ils cessent de lui poser des questions, l'abandonnant dans son coin tranquille au bout de la table.

Les garçons virevoltent, s'empressent, parlent très vite, semblent s'amuser. Leur débit trop rapide, combiné avec l'accent italien, rend leurs propos tout aussi mystérieux. Les menus sont finement décorés, le repas plantureux. Elle ne peut en profiter, l'estomac noué par l'indéfinissable angoisse d'être emportée vers un continent inconnu et étranger où personne ne l'attend. Au ronron indéchiffrable des conversations, elle se laisse flotter vers de vagues rêveries.

Dans la chaleur des derniers beaux jours, elle n'ira pas étendre avec Isa un drap blanc sous les mirabelliers qu'il fallait secouer à plein bras pour ramasser ensuite les fruits orangers, pointillés d'or; elles jetaient au tonneau pour le schnaps les plus mûrs qui avaient éclaté.

Les guêpes affolées tournaient autour d'elles, se gorgeant de miel. Assises sur la terrasse, elles passaient l'après-midi à dénoyauter des corbeilles entières pour remplir la bassine d'aluminium où bouillonnerait à gros soupirs, des heures durant, l'épaisse mixture sucrée.

Dans le placard de la buanderie, Isa alignera au frais les rangées de petits pots, coiffés de collerettes de papier, gelées de groseilles limpides, confitures de framboises, mirabelles, prunes bleues, pour les déjeuners et goûters jusqu'au retour de l'été. Isa, accordée aux rythmes lents de la terre, vit près des saisons. Elle parle fruits, fleurs et légumes. À la fin août, elle engrange ses trésors, mais aura-t-elle quelqu'un avec qui les partager cette année.

Un choc brutal fait soudain basculer la salle à manger et ramène Ariane à la réalité : assiettes, verres et couverts valsent sur les tables, les garçons acrobates s'activent à débarrasser, les passagers s'esquivent.

Titubant dans les coursives, elle rejoint sa cabine au plus vite et s'allonge. Les deux vieilles dames sont déjà couchées, emmaillotées de laine grise, elles ne bougent plus. Étranges gémissements d'entrailles métalliques; le vaisseau craque et se plaint de ses vieux os rouillés par le sel. Sous Ariane, la couchette s'enfonce interminablement, menace de l'engloutir à jamais, remonte enfin pour couler plus profond encore au centre de l'océan. Le long va-et-vient agonique ballotte la minuscule cabine enclose. Vont-ils jamais réussir à traverser la nuit?

Au matin, des cordes sont tendues de chaque côté

des couloirs où il est presque impossible de se tenir debout. Le navire a la danse de Saint-Guy. Personne à la salle à manger. Dans le salon, un steward explique, avec force moulinets de ses grands bras, qu'une machine a été endommagée, qu'on devra se contenter d'avancer désormais à vitesse réduite. Au cours de la nuit, même des membres de l'équipage ont été malades. Elle déchiffre ces mauvaises nouvelles. Quoiqu'elle ne souffre pas du mal de mer, pas encore, elle n'en mène pas large. Elle craint l'attraction de l'immensité gris sombre, grande ouverte sous le navire qui tangue sans aucun sens de direction, roulant de bâbord à tribord, piquant du front dans les hauts creux. La crête des vastes rouleaux s'écrase et bouillonne sur le pont dont l'accès a été interdit. Alarmée, elle regarde, hypnotisée, par une large baie battue d'embruns, la tempête qui brasse des eaux désorientées.

Elle devine la catastrophe. Les deux vieilles dames fragiles surgiront du fond, se presseront, rejoindront la cohorte de passagers, chaotique, épeurée et geignarde; les chaloupes de sauvetage, frêles embarcations de papier jetées sur l'océan en furie; le paquebot assailli s'écroule et aspire avec lui, dans un formidable appel d'air, les naufragés échoués sur leurs barques de mauvaise fortune. Elle sombrera à pic, l'abîme glacial se refermera sur sa poitrine et l'étouffera. Elle voulait pourtant finir en plein soleil, respirer librement jusqu'à la dernière minute, avant de rendre son petit souffle de vie. S'ils arrivent sains et saufs sur l'autre rive, de plus en plus problématique, elle se promet de ne jamais rebrousser chemin.

Finalement le temps s'éclaircit. Peu à peu la mer s'aplatit, le soleil apparaît. Profitant de l'embellie, les vieilles gens reprennent leur échange de souvenirs et leur place à la table de la salle à manger. Le calme est rétabli.

Elle erre d'un pont à l'autre. Ils sont là, allongés dans les transats bien en rang d'oignons, emmaillotés dans des couvertures rêches, le livre resté ouvert à la même page. Monotonie du mouvement de la vague sans cesse renouvelée, les copieux repas sans faim, les distractions sans joie pour tuer le temps devenu liquide. Assommée d'air et de vent, elle s'affale elle aussi sur une chaise longue et dérive, envahie d'une douce langueur, au rythme de la houle.

Elle a été parfaitement heureuse cette année. Isa l'écoutait, l'entendait, voulait connaître plus de détails, l'encourageait. Isa riait et racontait à son tour, tout en préparant des repas simples et délicieux qu'elles dégustaient dans le petit salon donnant sur le jardin, quand il faisait froid ou pluvieux, sur la terrasse, à l'ombre parfumée et paisible du chèvrefeuille, au gazouillis léger des pinsons, aussitôt le soleil revenu. Isa sa mère, sa soeur et sa meilleure amie. Entre elles, l'océan inconnu s'étire un peu plus chaque jour. Le vide saumâtre du coeur et de la bouche.

La corne de brume effiloche l'aube. Le paquebot, comme arrêté en plein brouillard, brame avec obstination son cri d'alarme. Journée sans horizon, immobile, enveloppée de blancheur glacée. Les rares promeneurs s'évitent, échangent de brefs regards inquiets. Sur le pont, quelques silhouettes fantomatiques se frôlent dans la ouate opaque. L'équipage n'en finit pas de rassurer les passagers et de courir soigner ceux qui restent prisonniers des cabines. La belle humeur du début en a pris un coup. La croisière se transforme en traversée maudite. La corne de brume lugubre lance sans répit ses appels obsédants; le bateau s'endort dans la nuit blanche.

Après cinq jours de mer, on approche du continent américain et de l'ouverture du Saint-Laurent. Le brouillard s'est dissipé. On suit à présent de très près une interminable muraille sombre et abrupte. Ariane ne sait plus ce qu'elle attend depuis si longtemps sur le bateau funeste. Elle a presque cessé de croire qu'ils accosteront quelque part et qu'elle pourra s'ancrer de nouveau à la terre.

Elle aime les eaux tranquilles qui ont la patience d'attendre l'éclosion des nénuphars. Sur la Meuse verte, moirée, des tracteurs tiraient le long du chemin de halage, au bout d'un épais cordage, de paisibles péniches, solides, chargées, enfoncées jusqu'aux ouïes. Au bord de la rivière, dans ses étés d'enfant, elle prenait le soleil avec ses camarades. Mille jeux comme un arc-en-ciel de plaisirs sur l'eau : sauter, crier, plonger d'un vif mouvement du cou et du dos, disparaître, nager en longues foulées parmi les herbes, se laisser couler avec le courant, faire la planche et boire le ciel radieux piqué d'hirondelles.

La surface de la mer mauvaise se creuse agressive sous les pas instables. Sa compagne préférée du haut

temps de l'interminable été est devenue présence enne-
mie et cette violente falaise noire si proche... Elle imaginait l'embouchure du Saint-Laurent aussi large que
l'océan. Plus tard, elle apprend qu'il s'agit de l'île
d'Anticosti qui bloque, pour ainsi dire, l'entrée du
fleuve.

Très loin à l'horizon, émerge la promesse de rives
basses puis la forêt et, dans le matin, brillent soudain
des villages percés d'une flèche blanche lumineuse. À
cette distance, les maisons ressemblent à des cubes en
bois de couleurs pour chambre d'enfant. Rapprochés,
les villages gardent encore des airs pour rire avec, éparpillées de chaque côté d'un clocher argenté, les habitations ouvertes sur le fleuve. Près d'un quai miniature se
dessinent de petites embarcations à l'ancre. Deux journées de lente remontée vers Québec, puis Montréal. Le
Saint-Laurent se gonfle, se resserre, des agglomérations
s'accrochent à la côte, poussées dans le dos par une
masse sombre de forêts. Le navire croise maintenant et
domine de sa prestance recouvrée trains de chalands,
remorqueurs, dragueurs, infimes barques de pêche en
équilibre sur la vague.

Chapitre 4

Montréal! Parquée et tassée dans un boyau restreint, coincée entre de gros personnages chargés de bagages, Ariane baigne immobile dans une chaleur moite, suffocante, et ne voit devant elle que dos en sueur dont l'odeur aigrelette lui soulève le coeur.

Raidie par l'attente étroite, la ligne se met difficilement en marche, se fissure, le groupe disparate de voyageurs résignés se disperse dans un immense hangar beaucoup plus frais. Un préposé du service de l'émigration lui fait signe d'avancer, un sourire bienveillant aux lèvres. Il parle français, il a l'air content de recevoir dans son pays les mutants. Elle se sent ragaillardie. Quand il sait qu'elle doit se rendre à Saskatoon, il lui indique où prendre un taxi pour la gare. À ses remerciements il répond par un surprenant «Bienvenue!» La curieuse expression d'accueil la remplit d'aise. Elle se détend. Peu à peu se détache d'elle la torpeur angoissée d'une semaine sur des eaux hostiles. Il doit faire bon vivre dans ce coin où un fonctionnaire chaleureux vous souhaite la bienvenue.

L'énorme limousine silencieuse l'emmène dans une avenue à plusieurs voies où glisse, sans bruit, sur un gigantesque tapis roulant, la circulation fluide de longs vaisseaux luxueux. Le taxi s'enfonce sous les gratte-ciel et la dépose au sous-sol de l'Hôtel Elizabeth. Elle est arrivée à la gare du CNR, le fameux chemin de fer dont elle se rappelle l'image du tracé à travers le Canada. Il lui faudra deux jours et deux nuits pour atteindre le milieu de la prairie. Tout, ici, est à une autre échelle. Le train, monstrueux dinosaure caparaçonné de vert sale, attend à quai sous l'hôtel. Devant chaque wagon, un Noir en casquette accueille les voyageurs près de l'escabeau nécessaire pour accéder à la première marche trop élevée. D'un sourire plein de dents très blanches, le *porter* l'aide à monter et à trouver sa *roomette*, petite chambre privée avec lavabo, toilettes, penderie. Il lui explique qu'il suffira de tirer vers elle le lit encastré dans le mur pour transformer la pièce en couchette. Elle fait coulisser la porte, se retrouve chez elle, essaye les différentes lumières et se sourit dans les trois miroirs. Pour la première fois depuis son départ, elle est présente au monde.

Elle s'assoit près de la large fenêtre qui ne s'ouvre pas. Le train s'ébranle sans effort. Après un long tunnel, une zone de quartiers minables expose ses entrailles : maisons de plusieurs étages en bois délavé, aux vitres crevées rafistolées de carton, façades malades zébrées d'escaliers, cours tendues de cordes où pendille du linge grisâtre. Lui succède la laideur monotone d'une banlieue industrielle, énormes cylindres remplis de pétrole, fumée, usines, pylônes. Première vision décevante de la

terre américaine. Rien ne rappelle *Maria Chapdelaine*
par ici. Le vrai pays doit commencer au-delà de la cité.
Longtemps, elle écoute le chant sourd et cadencé du
voyage. Envie de se changer. Elle remplace ses éternels
jeans par une courte jupe droite de toile et un chemisier
bleu intense qui fait ressortir l'éclat des yeux dans son
visage encore hâlé. Elle se perche sur des hauts talons
qui accentuent le galbe des jambes, tourne devant la
glace dans l'espace restreint. Elle n'a presque jamais eu
la patience de marcher avec ça. Le train bringuebalant
à travers une vague campagne n'est pas l'endroit idéal
pour s'exercer à l'élégance. Elle rit de ses efforts.

Depuis des jours, elle n'a vraiment parlé à personne;
il est grand temps de rompre le silence. Elle ne va quand
même pas passer une année, non dix mois, car elle ren-
trera dès juin, à monologuer. Quel gâchis!

La mer l'avait laissée abasourdie; maintenant elle est
tout à fait réveillée, affamée même. À bonnes enjambées, malgré les talons trop hauts, elle se met en quête
du wagon-restaurant. La traversée d'une voiture à l'autre
se révèle périlleuse; elle tire une lourde porte blindée,
échoue dans un fracas diabolique sur une étroite plate-
forme, animée de tremblements frénétiques, prête à se
désintégrer sous l'élan du train en marche; en déséquilibre sur ses talons et sur deux maigres morceaux de
fonte que rien ne paraît tenir ensemble, elle ouvre
difficilement une autre porte massive pour accéder au
wagon suivant. Et ainsi de suite. Pas âme qui vive!
Les passagers se sont sans doute déjà tous endormis,
enfermés dans leur *roomette*. Au bout d'un couloir vide,

un *porter* noir, tout sourire, l'escorte jusqu'à la salle à manger; un garçon lui indique une table à laquelle s'est déjà installé un homme au visage bronzé. Il a les cheveux très noirs, lisses et lustrés comme le plumage luisant d'un oiseau. Comme elle s'assied, il se présente, se levant à demi :

– Cliff Littlecrow.

Elle s'en serait doutée... Il lui tend une grande main basanée, emprisonne d'une poigne solide ses doigts fins. Elle aime le contact ferme et doux. Il la fixe tranquillement, sans gêne, sans baisser les yeux. Elle soutient son regard sombre, juste assez longtemps, puis se sent rougir.

– Vous allez loin?

– Jusqu'à Saskatoon.

– Tiens, moi aussi! Il sourit. Et qu'est-ce qui vous attire là-bas?

– Je vais aider des étudiants à converser en français.

– Quelle drôle d'idée! Vous êtes de Montréal?

– Mais non, je viens du fin fond de la France.

– Eh bien!

Il l'enserre de son regard noir, brillant, moqueur. Elle a l'impression d'être vue pour la première fois; elle se secoue impatientée, comme pour se débarrasser d'un poids importun.

Hésitante, elle étudie le menu, une belle carte écrite en anglais avec traduction française. Un serveur attend les commandes. Elle se décide pour un filet de saumon rouge au citron, à cause des ours Kodiak; quelque part, elle a lu que ces bêtes formidables font des pêches miraculeuses, au temps de la remontée des saumons dans les eaux vives du Nord.

Littlecrow la regarde, amusé :

– Là où vous allez, ce n'est pas exactement Paris et les Champs-Élysées...

Elle le trouve un peu indiscret mais ne veut pas briser le début de communication. Jusqu'ici, il lui semble qu'elle se débrouille dans cette conversation en anglais. Il parle sans se hâter. Il a l'air détendu, d'être bien dans sa peau. La voix un peu rauque, il continue ses questions :

– Pourquoi donc avoir choisi Saskatoon au lieu de Montréal, Toronto ou Vancouver par exemple?

– Je n'ai rien choisi du tout. Je pensais devoir faire un stage en Angleterre et on m'a proposé l'Amérique! Je ne savais même pas que Saskatoon existait auparavant...

Il se met à rire carrément.

– Peut-être parce que ça n'existe pas réellement! Vous êtes ici pour longtemps?

– Dix mois au moins.

– C'est une petite ville aplatie dans la prairie, au milieu des terres à blé. Il n'y passe rien sauf ce train qui débarque, depuis qu'il existe, de nouveaux arrivants, éberlués comme vous.

– Il doit bien s'y passer quelque chose?

Derrière la baie vitrée défile une campagne de champs, de prairies vertes semées de grosses fermes; paysage assez semblable, quoique en beaucoup plus grand, à celui de la Normandie qu'elle a parcourue en tous sens à bicyclette avec des copains. Le train se met à siffler, hululement prolongé, triste, mélancolique tel l'appel d'un rapace dans la nuit.

– Il faut du temps pour apprivoiser un pays. Il paraît songeur tout d'un coup. Il en est arrivé, des immigrants, et de chaque coin d'Europe. Certains avaient tout laissé derrière eux pour s'établir dans la région, mais beaucoup sont partis ailleurs, découragés par des hivers trop longs, trop durs, par les vastes espaces trop venteux. Ils n'ont pas su prendre racine dans les grandes plaines. Ils sont restés en surface, sans comprendre, des touristes en somme; ils sont restés aussi ignorants et aveugles qu'ils étaient venus. Ceux-là n'ont rien vu, rien senti, rien goûté…

Elle ne saisit pas exactement le sens de sa tirade, elle hésite, intimidée par son regard distant; peut-être aussi par la langue qu'elle ne maîtrise pas très bien, comme si les mots cachaient une réalité différente de celle qu'elle a apprise dans les livres ou avec ses professeurs. Elle désire comprendre :

– Vous pourriez m'initier peut-être?

La salle à manger est presque vide maintenant.

– Allons prendre un verre au bar. Au fait, avez-vous l'âge au moins?

– Que voulez-vous dire?

– Ça ne fait rien, venez.

Il a posé sa main chaude sur son bras nu et la conduit jusqu'au bar. Ils se juchent sur des tabourets pivotants, face à la fenêtre panoramique. Le paysage a changé, rugueux, rocheux, entrecoupé de forêts par intervalles. Le soleil du soir avive les écorces claires des trembles et des bouleaux.

– Où sommes-nous?

– C'est le bord du Bouclier canadien; il remonte jusqu'au nord de la Saskatchewan. Bientôt, nous longerons les premiers lacs.

Le soleil descend sur une frontière de rocs où se découpent les arêtes d'arbres noirs. Le train suit avec précaution des eaux sombres dans lesquelles s'enfonce la lumière du couchant. Fascinée, elle regarde passer le pays étranger et, à la fois, étonnamment familier : il n'y a pas si longtemps, les voyageurs des pays d'En-Haut, portant des noms français bizarres, les Médard Chouart des Groseillers, les Pierre-Esprit Radisson remontaient ces mêmes fleuves et lacs en canoë d'écorce, sautant les rapides, portageant les chutes, harcelés par des bandes d'Iroquois ou de Sioux dont ils envahissaient les territoires. Le Sieur de la Vérendrye traçait, jusqu'à Winnipeg, le chemin vers la grande mer de l'Ouest.

Le Canada des explorateurs en cinémascope. De plus en plus de bois sombres, et jamais un village ou une maison. Où sont donc les habitants?

– Avez-vous laissé un petit ami au pays?

33

— Non, seulement Isa, ma mère.

Elle est loin maintenant de la maison blanche et du jardin d'Isa.

— Et déjà elle vous manque, Isa?

D'un rythme régulier, le train s'avance au coeur d'un continent incommensurable. Soudain, elle se sent perdue au milieu de terres inconnues, et si définitivement seule. La nuit est complètement tombée sur une lisière noire, inquiétante. À côté d'elle, dans la vitre, le reflet de Littlecrow, assis un peu en retrait, et qui la regarde.

Il touche légèrement la tête blonde. Rassurée par sa présence, elle se laisse aller contre son épaule, les yeux à demi fermés. Il la garde contre lui, l'enveloppe toute, sa bouche contre les cheveux dorés.

Elle sourit : à travers l'espace, les bras d'Isa se sont noués autour d'elle, lui communiquant leur douce chaleur réconfortante. Elle se laisse aller mais il la repousse gentiment, la forçant presque à se tenir d'elle-même, à ouvrir les yeux :

— Il se fait tard, vous devez être fatiguée; je vous reconduis.

De nouveau, il encercle son bras de sa poigne ferme et la guide à travers les wagons apparemment déserts. Il tire la porte de la chambrette, la tient sous son regard noir, effleure sa bouche et s'éloigne tandis qu'elle est plantée là, en déséquilibre sur ses talons, sans bouger, sous le charme.

Il a disparu sans un mot, sans dire au revoir. Elle

sent sur son bras la marque de sa main, sur elle la caresse du regard et des lèvres pleines. Elle entend la voix rauque au timbre légèrement guttural.

Elle s'endort, les bras de l'étranger enjôleur refermés sur elle. Vingt fois, elle se réveille parce que le train s'est arrêté au milieu de nulle part ou traverse au pas un pont sans fin surplombant une surface miroitante. Puis, il s'élance, dévale le Bouclier canadien comme s'il avait perdu le contrôle de sa locomotive et des freins, hululant un cri long, plaintif qui arrache le coeur. Littlecrow regarde-t-il comme elle défiler la nuit? Pourquoi n'est-il pas resté un moment près d'elle, pourquoi l'avoir abandonnée sans même un au revoir.

Et pourquoi se sent-elle attachée à cet homme de rencontre? Les camarades d'études ou de ses randonnées à vélo à travers la France, elle les a quittés facilement, sans regret. L'Indien est plus âgé qu'elle; il est différent. Serait-il le lien nécessaire avec la terre qu'elle voudrait découvrir? Il était là, avant tous les autres; parti d'Asie, de Sibérie, peut-être, il aurait traversé sur un pont de glace; serait descendu vers les plaines; de l'Alaska jusqu'à la Terre de Feu, il est l'habitant primordial des Amériques. Avec lui, elle pourrait s'approcher du pays.

C'est déraisonnable, mais, tout de suite, elle a eu confiance en son regard direct et franc. Elle aime, coupés dans le cuivre fin, les traits nets qu'éclaire un sourire tranquille.

Au martèlement régulier du train, elle finit par tomber dans un sommeil lourd, agité de rêves insolites et enfantins. Une secousse la réveille. Le train tourne, encaissé entre des roches blanches pelées, émaillées de lichens dorés et d'arbres rabougris. Le Nord de l'Ontario sans doute. Brièvement se fait une ouverture, une clairière avec quelques cabanes de planche grise que personne ne paraît habiter.

Elle a hâte et craint un peu d'aller le rejoindre. Elle s'habille des mêmes vêtements pour être sûre qu'il la reconnaisse et noue un foulard rouge à son cou. Ses yeux brillent d'une lumière qu'elle ne leur savait pas. Elle se précipite au premier appel pour le petit déjeuner, choisit une table seule, et attend; elle boit un peu de thé du bout des lèvres, grignote un toast à la confiture d'orange. Elle traîne jusqu'à l'arrivée des voyageurs du deuxième service. Il n'est pas avec eux non plus. Il est peut-être descendu pendant la nuit à l'un de ces nombreux arrêts incompréhensibles. À moins qu'il ne se soit moqué d'elle hier soir; elle ne peut le croire pourtant. Elle lui fait confiance; elle voudrait retrouver sa main chaude, ses lèvres douces, son odeur poivrée. Elle se promène de voiture en voiture, s'aperçoit qu'il y a même des wagons normaux, sans *roomette*, avec de vrais voyageurs assis sur des banquettes ordinaires et des enfants qui courent dans les allées. Il s'est volatilisé.

Elle retourne au bar, vide à cette heure, s'installe sur le même siège et regarde passer le paysage; encore plus de rochers granitiques, de lacs, de forêt. Elle ferme un instant les yeux, revit les quelques minutes où elle était bien, appuyée contre lui. Un long appel mélancolique est repris par l'écho, le train avale les arbres, se gorge d'eau. Le monstre l'emporte dans la lourde course vers l'Ouest, vers les plaines à bisons, les vastes terres libres des derniers Crees.

Chapitre 5

Dès l'aurore, elle enfile ses jeans fidèles, remet des souliers plats. Elle est prête, impatiente de quitter la chambrette à l'odeur confinée de vieux tapis et de désinfectant. Le lit rentré dans le mur, valise faite, elle regarde, le nez collé à la fenêtre close, étonnée, une plaine infinie aux couleurs incertaines sortir de la nuit. Des traînées rose mauve et d'un vert doux, s'effilent dans le ciel, cèdent la place à un gros soleil pâlot. De minute en minute il s'avive, s'entoure de bleu et commence à rousseler la vague plutôt courte des champs de blé mûr à perte d'horizon. Pas de ferme; de loin en loin, protégée par une haie de peupliers penchés d'un même mouvement vers le sud-est, près d'un bungalow blanc, une belle bâtisse de bois rouge foncé, d'allure vieillotte, gonfle son ventre accueillant; éparpillé alentour un désordre de machines agricoles, plusieurs cabanes affaissées, des carcasses de voitures. Un champ de tournesols jusqu'à l'horizon. Ils offrent leur face rieuse aux rayons du levant, lui font au passage un signe amical.

Issue de nulle part, se dresse dans la clarté du matin

une forteresse, les hautes tours carrées des élévateurs à grains, peintes en ocre, ou rouge, ou vert menthe. Elles dominent un semblant de village écrasé, maisonnettes basses de bois, en succession, alignées le long de la voie ferrée, puis disparaissent, aspirées par la plaine immense, étale, dont rien n'arrête plus la lente respiration dorée sous le ciel outremer, vaste comme l'océan. La démesurée beauté de la prairie a l'air solidement installée. Évanouis, lacs, forêts, rochers du Bouclier canadien, aussi définitivement que le mystérieux compagnon d'un soir.

Elle descend du lourd wagon, le *porter* noir, toujours souriant, lui donne la main et l'aide à sauter sur le quai ébloui de soleil. Après ces deux jours où elle est restée enfermée à l'intérieur de la puissante bête blindée de métal, dans une atmosphère raréfiée, elle respire enfin largement. Libérée, elle prend une pleine gorgée d'air bleuté, transparent, léger et sec comme un petit vin gris des côtes de Moselle. Son regard s'attarde encore sur le train d'où sortent quelques voyageurs peu pressés, quand elle est happée par une petite femme maigre qui l'aborde d'un ton abrupt :

– Vous êtes notre nouvelle assistante, je suppose? Je suis la directrice du département, Miss MacNeill.

Elle trotte de toute la vitesse de ses jambes sèches. Dans la voiture, elle explique sans ambages :

– Je vous ai trouvé quelque chose de pas trop cher, près du campus, pour commencer. Vous partagerez le logement de Louisa, une de nos étudiantes de maîtrise. Une fille sérieuse et très sympathique, vous verrez. Si ça vous convient, vous pourriez rester ensemble et vous aider mutuellement dans vos études.

Miss MacNeill déborde d'énergie efficace, petit bout de femme aux cheveux cendrés, au mince visage tiré de rides fines où brille un regard jeune, malicieux. Elle ne s'est pas embarrassée de formules d'usage, alambiquées ou creuses. Pratique, elle va droit au but. Elle disparaît presque entièrement derrière le volant de l'énorme Chevrolet gris acier, tend son cou grêle à droite et à gauche, en légers mouvements saccadés, tout en continuant de parler :

– Nous remontons la deuxième avenue. C'est le centre ville, la Baie, les grands magasins. Maintenant, nous arrivons à la Saskatchewan Sud; ce mot signifierait, en langue indienne, la Rivière-aux-eaux-rapides. Comme vous voyez, elle scinde en deux la ville qui s'étend sur ses bords de chaque côté, jusque là où elle se fond à la plaine, et va rejoindre plus loin la Saskatchewan Nord. Votre appartement et le campus sont là-haut sur l'autre rive. C'est très facile de s'orienter, les avenues d'un côté coupent les rues perpendiculairement.

Ariane n'a pas vu de centre, ni de place de l'église ou du marché, seules des artères spacieuses se croisent à angle droit dans un décor de Far West, arrêté sous un ciel immobile. Le pont traverse une rivière verdoyante, très large, qui les mène sur l'autre versant, plus élevé, couvert de forêts où pointent dès ce début septembre des ors et des roux.

Dans la treizième rue, la voiture se stationne en douceur devant une grande maison de bois à balcon, un peu fanée; Miss MacNeill monte allègrement au deuxième étage où les attend Louisa qui s'offre tout de suite à préparer du thé. Mais Miss MacNeill, très occupée, ne peut s'attarder; elle doit se rendre à des réunions en vue de préparer la rentrée.

– Prenez le temps de vous installer. Je vous verrai demain au bureau. Louisa, vous me l'amènerez, voulez-vous? Reposez-vous d'ici là. Si vous avez des questions, des problèmes, tenez, je vous laisse mes numéros de téléphone chez moi et au bureau. N'hésitez pas à me contacter, vous ne me dérangerez pas. J'espère que vous vous plairez avec nous.

La sollicitude de la directrice, sa disponibilité contrastent avec ses lèvres minces, son nez pointu et pincé, son allure pressée et, surtout, avec le débit rapide de ses paroles, le ton péremptoire, presque intimidant. Ariane n'a pas eu le temps de la remercier qu'elle est partie en coup de vent. La Chevrolet redémarre déjà.

Dans la chambre bien propre, repeinte à neuf, elle trouve sur la commode, de la part de Miss MacNeill, une carte de bienvenue bariolée contre un pot de chrysanthèmes mauves comme ceux qui couvraient la tombe de son père; elle pense à jeter ces fleurs de mort.

Louisa lui apprend que Miss MacNeill est crainte aussi bien de ses collègues que des étudiants. Tout le monde tremble devant elle, paraît-il. La petite femme d'à peine cinq pieds, au ton sans réplique, mène ses troupes à la baguette. Les yeux noisette de Louisa rient derrière d'épaisses lunettes. Elle parle lentement, hésite un peu sur les mots, écorchant des sons. Elle déborde de ses jeans trop serrés sur lesquels tombe un vaste tee-shirt informe. Le teint pâle, des joues fermes; une torsade de cheveux noirs couronne le visage de madone, éclairé d'un sourire paisible. Elle s'enquiert si Ariane a faim, a besoin de quelque chose.

– J'aurais plutôt envie de me dégourdir les jambes et de goûter l'air du pays après ces deux journées dans un train hermétique.

– Si ça vous dit, allons faire un tour dans le coin.

– Oui, j'aimerais beaucoup explorer un peu. On pourrait se tutoyer puisqu'on va habiter ensemble?

Le quartier ressemble à une cité-jardin, des fleurs partout. Sous la voûte fraîche d'érables du Manitoba et d'ormes majestueux, des pelouses où crient des enfants relient une série de bungalows aux couleurs pastel. Aucune barrière, pas de murs de pierre, ni de façades rébarbatives bardées de volets tirés, gardées par des chiens méchants ou protégées par des grilles rouillées, hérissées de pointes pour que les malfrats s'y empalent. Les habitations primesautières s'offrent à tout regard, sans défense, à tout vent et à tout venant, ce qui ne leur donne pas un air très sérieux; temporaires, plantées là par accident, prêtes à partir au moindre souffle, à la moindre invitation, des maisons de bois sans passé encombrant, sans ancêtre, sans histoire cachée.

– Mais si, explique Louisa avec patience, justement tu es dans le plus ancien quartier. C'est sur cette rive que s'est installée la colonie des Tempérants, qui fuyaient les bars de l'Est du pays et ont fondé la ville à la fin du siècle dernier.

Elles prennent un sentier qui s'enfonce en pleine forêt et Louisa s'arrête devant un gros peuplier échevelé.

– Un cotonnier, arbre en coton, dit-elle en riant, peut-être parce qu'il se transforme au printemps en une fabrique d'épaisses touffes ouatées que les grives se disputent pour doubler douillettement leur nid. Ou alors, c'est parce que son bois n'a aucune valeur marchande.

Le cotonnier n'est que douceur et mollesse, un bel arbre au coeur fragile qui semble étaler sa force, mais qu'un rien abat.

Au bord de la Saskatchewan, elles surprennent un héron bleu; tête rentrée dans les épaules, coiffé de son béret basque, il est en train de surveiller le courant qui file au bout de ses hautes pattes allumettes. Elles remontent en quelques minutes vers le campus, un de ces campus à l'américaine qu'Ariane voit pour la première fois autrement que sur des photos : parc de verdure, fleuri de géraniums, gueules-de-loup, oeillets d'Inde… Des édifices en grès rose, style traditionnel de l'Angleterre édouardienne, voisinent avec des bâtiments modernes, en cubes ou en tours. Une foule décontractée d'étudiants en shorts et tee-shirts très colorés. Beaucoup prennent le soleil, assis ou allongés sur les pelouses. Rumeur joyeuse, atmosphère de vacances qui durent encore.

À ce tableau champêtre, il ne manquerait que les

44

paniers d'osier bourrés de victuailles, les bouteilles de vin fin et, autour de nappes brodées étalées sur l'herbe, des jeunes femmes de jadis en longue robe claire, le visage protégé par les rebords d'un grand chapeau de paille. Le pique-nique des étudiants paraît plus modeste, simples sandwichs sortis d'un sac de papier brun, accompagnés d'un carton de lait ou de *pop*.

– Et ton campus, il est comment?

– Il n'y a pas de campus. La fac des lettres est un truc grisailloux, peu inspirant, coincé au centre ville, au milieu des rues et de la circulation. Heureusement, je ne m'y rendais que deux jours par semaine pour suivre mes cours groupés les mercredis et jeudis, c'est tout.

Ariane n'aime pas faire figure de parente pauvre. Elle vient d'une civilisation ancienne qui ne se compare tout simplement pas à celle de la ville neuve, à peine émergée des champs de blé. Elle n'aurait quand même pas détesté faire ses études à ce campus aux airs de fête.

– Le reste de la semaine, j'étais chez moi à une bonne cinquantaine de bornes de la fac, dans notre petite ville. Nous habitons un peu en dehors, dans une maison blanche.

Au-dessus de la clôture, elle voit le visage rieur des tournesols géants dont Isa raffole.

– Derrière, nous avons un potager, quelques vieux arbres qui donnent des tonnes de fruits, une allée de gravillons. Isa, ma mère, a laissé un carré de pelouse car j'aime lire au jardin où elle passe une partie de ses journées à la belle saison. Et toi, es-tu d'ici?

– Non, nous vivons sur une ferme, à environ deux cents milles au sud. C'est tout à fait plat, la vraie prairie, pas un arbre, excepté la haute haie que mon père a plantée pour arrêter les vents du nord et nous protéger de la terre qui s'envole des champs au printemps et retombe en poussière. Je t'y emmènerai, c'est très vaste, magnifique.

Plus plat qu'ici? Ariane imagine mal. Déjà, le trop-plein de ciel et de plaine entrevu du train l'a suffoquée.

– Tu t'exprimes drôlement bien, tes parents parlent français?

– Mais non! Avant d'aller à la petite école, je ne connaissais que l'ukrainien. Aujourd'hui, j'ai beaucoup oublié. À six ans, j'ai dû apprendre l'anglais, comme tout le monde; au secondaire, j'ai commencé le français. Et voilà, c'est un peu ironique : à présent, je parle mieux le français que ma langue natale. Je vois assez souvent des gens avec qui j'ai la chance de pouvoir m'exercer. Tu feras leur connaissance.

Le lendemain matin, Ariane rencontre brièvement les professeurs du département. Peu loquaces, ils s'effacent dans leur bureau après deux ou trois phrases polies et compassées. Miss MacNeill la met au courant, lui tend un plan de travail précis. Ariane devra animer des cours de conversation pour de petits groupes d'une dizaine d'étudiants. La directrice donne en rapide succession une série de recommandations. Elles se verront à intervalles réguliers pour discuter du progrès des étudiants, des problèmes, s'il y en a, des solutions possibles. La poigne ferme de la petite femme sèche rassure

46

et guide. Ainsi prise en main, Ariane ne s'inquiète plus.

Son travail lui paraît assez facile, amusant même. Il lui vient toutes sortes d'idées pour amener les étudiants à s'exprimer. À peine plus jeunes qu'elle, ils l'acceptent comme une camarade. Avec la bonne volonté des débuts d'année, ils font des efforts pour apprendre.

Gilles, un petit brun aux yeux d'écureuil, se risque un jour à l'inviter. Il s'attarde un peu après le cours et demande très vite :

— Ça vous tenterait-tu un party à soère, a'ec les chums, à maison?

Elle sourit dans le vague.

— C'est ben d'valeur si p'vez pas!

Ariane le regarde sans comprendre.

Alors, il demande abruptement, en détachant les mots :

— There is a party tonight at my place, would you like to join us?

— Bien sûr, avec plaisir.

Elle est gênée de n'avoir pas compris immédiatement. L'étudiant parle une langue bien à lui, aux tournures inattendues. Il avale des syllabes; son accent chantant, une intonation au rythme plus anglais que français, l'ont déroutée. Mais il ne lui garde pas rancune; à partir de là, les sorties des week-ends se multiplient avec Gilles et ses copains. Ariane et Louisa se retrouvent chez eux, au bar ou à la discothèque. On boit beaucoup de bière, on danse, on flirte, on s'amuse. Ariane s'efforce de suivre les discussions à travers la fumée et les musiques discordantes.

En dehors de la directrice, elle a peu de contacts avec le département, ce qui ne la préoccupe guère. Elle se plaît avec les compagnons de son âge, qu'elle apprend à connaître. Peu à peu, elle s'installe dans une routine sympathique : du campus à l'appartement par le chemin de la rivière, lieu de passage en cette saison d'une variété d'oiseaux migrateurs que Louisa lui a nommés.

Les dix mois vont filer vite. Bientôt, elle s'élèvera au-dessus de la prairie pour survoler en quelques heures à peine les étendues de blé, de forêts et de grands lacs, le long desquelles le train semblait ne pas avancer. Un autre saut de sept heures au-dessus de l'Atlantique au lieu des sept jours sur des eaux tourmentées, puis la descente sur le bocage de Normandie, la traversée de Paris, bruyante, infernale, asphyxiante dans les odeurs d'essence, jusqu'à la gare de l'Est, sa gare à elle. Le train la ramènera par le chemin des écoliers, vallonné et boisé, au jardin d'Isa.

Chapitre 6

– Nous sommes invités chez les Delabare ce soir, annonce Louisa avec son grand sourire habituel, tu sais, les gens chez qui je fais du baby-sitting. Ce sont des Français, de France, précise-t-elle avec une pointe de satisfaction et comme pour faire plaisir à son amie.

Ariane a un mouvement d'hésitation. Louisa continue avec entrain :

– Il faut s'habiller, pas question de rester en jeans cette fois-ci. C'est très chic chez eux, tu vas voir!

Ces derniers temps, Ariane a vécu protégée par une identité différente. Qu'elle parle anglais ou français, c'est toujours comme si elle s'exprimait dans une langue étrangère; ses étudiants anglophones ne saisissent pas encore la nuance, le sens caché, les règles secrètes, la valeur d'une intonation légèrement changée. Pour se faire bien comprendre, elle doit chercher des mots simples, les expressions les plus claires. Elle a souvent l'impression d'utiliser un idiome sans finesse qui a perdu sa charge émotive, sa force mystérieuse. Elle a hâte de converser à une vitesse normale avec des compatriotes; en même temps, sans savoir pourquoi, elle est sur ses gardes. Elle se sent à l'étroit dans sa robe, trop serrée par les collants bon marché.

À l'heure juste, Louisa sonne à l'entrée d'une des tours qui dominent la ville et la rivière. Originaire de la banlieue parisienne, Madame Delabare est la femme d'un homme d'affaires lyonnais, détaché au bureau d'administration d'une entreprise française établie dans la province. Elle offre à Ariane une main molle et négligente qu'elle retire aussitôt, se déclarant enchantée d'avoir fait sa connaissance, et Ariane renoue avec un code qu'elle avait commencé d'oublier. Dans le salon guindé, aux meubles de style, s'amorce un petit manège pour s'évaluer, se placer, se reconnaître ou se rejeter.

Madame Delabare porte un ensemble classique de lainage gris, à la coupe parfaite, dont la sobriété coûteuse est rehaussée de bijoux délicats. Ariane rétrécit dans sa robe de coton bleu, cousue à la maison. Avec quelque envie, elle remarque la coiffure très femme du monde, le maquillage savant et efficace, les chaussures ultra-fines à talons aiguilles. À l'aise, presque en habituée, Louisa fait les honneurs de l'appartement, lui montre les peintures de scènes parisiennes au-dessus de la fausse cheminée, puis s'en va voir l'enfant dans sa chambre, la laissant avec la maîtresse de maison.

– Nous avons fait venir nos meubles : tenez, la console, ici dans le coin, ainsi que cette desserte appartenaient à mon arrière-grand-mère et, pour rien au monde, je ne pourrais m'en séparer. Où que nous allions, et

Dieu sait si nous en avons subi des déménagements, elles me suivent toujours. C'est si agréable de se retrouver dans son cadre habituel!

Il doit être encombrant de traîner ainsi, partout avec soi, ces meubles vieillots et peu commodes, pense Ariane qui s'en veut un peu d'acquiescer d'un sourire, tandis que Madame Delabare continue :

— Heureusement que j'ai déniché cette brave Louisa qui garde le petit de temps à autre, et nous en profitons pour faire un brin de causette. Mais je parle, je parle... Asseyez-vous, je vous en prie. Quel plaisir de pouvoir bavarder! Vous êtes venue poursuivre vos études à l'université?

— Oui, et j'enseigne un peu aussi.

— Vous parlez anglais, naturellement? Moi, je ne baragouine que quelques mots. Nous connaissons deux ou trois couples avec qui nous jouons au bridge en hiver et faisons du tennis l'été. À part ça, c'est plutôt mort et mortel, cette ville; les gens sont tellement dépourvus d'imagination! Vous ne trouvez pas?

Non, Ariane ne suit pas très bien. Elle a plutôt l'impression de vivre parfois aux premiers jours du monde; lorsque s'ouvre, au-delà des arches de pierre qui marquent l'entrée du campus, la plaine que le soleil éclaire, d'un coup, dans le vaste bleu du matin, on se croirait sur une plage immense; et le soir... Elle tente de communiquer son enthousiasme :

— Nous allons souvent nous promener, avec Louisa, sur les hauteurs qui dominent la rivière, là où le soleil pourpre embrasse l'horizon et la ville, on se croirait...

Madame Delabare la coupe :

– C'est comme les magasins, avez-vous remarqué le ramassis d'horreurs? Quel manque de goût! Je ne sais comment je m'arrangerais si je ne rentrais à Paris, deux, trois fois l'an, pour me procurer des habits décents. Ma pauvre petite, vous aurez du mal à vous habituer!

– En fait, entre les cours et les sorties du week-end, je n'ai guère le temps de m'ennuyer; à peine si je trouve les heures pour répondre aux lettres de ma mère tant je suis accaparée.

– Bien sûr, vous vous débrouillez en anglais, vous. Pas moi! Partout, dans la rue, dans les boutiques, au cinéma, partout dis-je, je vis en plein brouillard; même à la télé, je ne comprends pas grand-chose. Si encore je pouvais me procurer *Jours de France* ou *Paris-Match* ou d'autres revues du genre pour me tenir au courant, savoir un peu ce qui se passe... Ce n'est pas gai d'être tenue à l'écart du monde. Ah! si seulement on avait la télévision en français!

Ariane ne ressent pas le même isolement : elle s'est fait des camarades avec qui elle se plaît. Pour ne pas froisser son hôtesse, elle s'efforce de compatir.

Monsieur Delabare vient d'entrer au salon. Sa femme se lève pour le présenter. Monsieur Delabare, homme de petite taille, très droit dans un complet sombre, s'incline avec raideur, salue Ariane, un mince sourire distant aux commissures des lèvres.

– Mon mari, poursuit-elle, parle anglais, lui. Nécessité oblige. Moi, j'essaye de m'y mettre, par moi-même, avec des cassettes du meilleur anglais d'Angleterre, mais ça ne m'a pas menée très loin jusqu'ici. De toutes façons, est-ce que cela en vaut la peine? Nous n'avons pas l'intention de nous éterniser dans la région. Mon mari devrait être muté bientôt. La compagnie a des bureaux en Afrique. Tant qu'à ne pas vivre à Paris, c'est là que j'aimerais aller, ça devrait être plus supportable; il y fait chaud et, au moins, on parle français. Il paraît qu'on peut même y acheter du vrai camembert de Normandie, des baguettes comme chez nous et des croissants au beurre, n'est-ce pas mon chéri?

Monsieur Delabare est peu causant. Lui n'apprécie pas tellement Louisa qu'il trouve sans gêne. Il n'a guère de sympathie pour ces gamines qui traînent dans les universités à ne savoir quoi faire. Mais, après tout, sa femme a tant de difficultés à s'intégrer...

Il se hâte vers la porte où de nouveaux arrivants font une entrée bruyante. Éclats de rire, embrassades, exclamations joyeuses. Un gros rigolo en pull rouge s'agite plus fort que les autres.

– Tenez, je vous ai apporté une boîte de foie gras truffé, du vrai de vrai, cinq pour cent de truffes, vous m'en donnerez des nouvelles! Il s'esclaffe. Cinq boîtes passées au nez des douaniers, je leur fais le coup à chaque fois. Les pauvres, s'ils y goûtaient, ils en redemanderaient!

Un autre invité, plus âgé, un brin compassé, accompagne une femme sur le retour, grande blonde oxygénée, super-maquillée, moulée dans une jupe noire très courte qui met en valeur ses jambes fuselées. Au travers d'une barrière de cils empesés de rimmel, elle détaille le visage nu d'Ariane, ses cheveux à la va-comme-je-te-pousse, jette un coup d'oeil qui en dit long sur la robe simplette et laisse tomber un bonjour distrait.

On s'installe dans la salle à manger pour prendre l'apéritif et les amuse-gueule autour d'une table imposante qui occupe toute la pièce. Une jeune fille fait le service, discrètement. Le dîner est copieux. On mange et on boit beaucoup; entre deux bouchées gourmandes de coquilles Saint-Jacques au Sauternes, on se lamente de la mauvaise qualité et du manque de saveur des produits locaux.

– Que voulez-vous, ma chère, on a beau faire, ce n'est pas la France! se plaint Madame Delabare à sa voisine.

Le ton et les rires montent. Jean-Louis Boursac, le rigolo au pull rouge, raconte bruyamment que, chez des Canadiens pure laine, on servait, l'autre soir, à un buffet, des muffins à base de son.

– Vous vous rendez compte, du son! Rien à faire, ça ne passait pas.

Il se contorsionne sur sa chaise, s'étrangle le cou des deux mains, tire la langue, roule des yeux ronds.

– Rien à faire, ça restait là, coincé au fond de la gorge; j'étouffais, dit-il, d'une voix mourante.

– Mais, combien en avez-vous mangé? demande Louisa, intriguée.

54

– Aucun, voyons, je n'y ai pas goûté! Même un cheval n'en aurait pas voulu! Et tous de poser fourchettes et couteaux pour mieux pouffer de rire.

Jean-Louis Boursac, son visage de bon vivant déjà aussi cramoisi que son pull, continue à inventorier les particularités alimentaires du lieu :

– C'est comme les épis de maïs, vous ne m'y feriez pas toucher! Chez moi, au Périgord, les paysans jettent ça aux cochons. Quand je pense, dans l'avion, je lisais un article du *Figaro* prétendant que ça se répand aujourd'hui chez les bonnes familles du seizième! Mais où allons-nous, grand Dieu! Ah! mes amis, le bon goût se perd.

On approuve. Louisa commence à expliquer qu'il ne faut pas confondre les différentes sortes de maïs. Peine perdue, personne ne l'écoute. Chacun est occupé à reprendre une bonne tranche de médaillon de boeuf et savoure la sauce grand veneur qui conviendrait mieux avec du gibier, bien sûr, s'excuse Monsieur Delabare.

– Baptisons-la sauce Périgueux et n'en parlons plus, s'exclame Jean-Louis Boursac. Il en profite pour refaire son numéro de comique qui a obtenu tant de succès. Les deux mains autour du cou, secouant sa tête ronde de droite à gauche, les yeux hagards, il gémit :

– Coincé là, le son, ah! ça ne veut pas passer!

Monsieur Delabare de renchérir d'un ton sentencieux :

– Moi, personnellement, je ne suis pas difficile, mais

ils ont de ces inventions diaboliques; par exemple, leurs mélanges de salé et de sucré agresseraient les palais les moins délicats. Imaginez un peu, des cornichons sucrés, il faut le faire!

Rosaline, l'amie bourguignonne de Madame Delabare, minaude d'une voix pointue que, elle, c'est la gélatine dont elle trouve les couleurs vives et la consistance absolument intolérables. Et ils trouvent le moyen d'en fourrer partout, aussi bien dans le dessert que dans les hors-d'oeuvre. C'est à n'y rien comprendre, la barbarie est sans limite!

Enfin repus, les convives retournent au salon. Avec la liqueur, Louisa boit maintenant chaque parole de Madame Delabare à qui elle s'efforce de répondre par de belles phrases savantes, mijotées d'avance. Sirotant un petit verre de poire william, Ariane, un peu étourdie par tant de bruit et de nourriture, ne sait plus trop où elle en est.

Rosaline se laisse choir à côté d'elle sur le sofa, en soupirant d'aise, et proclame en détachant bien les mots :

– Il n'y a pas à dire, dans le domaine de la bonne chère, nous restons inégalables, nous sommes imbattables.

Madame Delabare approuve avec bonne humeur :

– Sans vouloir pousser des cocoricos, nous devons bien le reconnaître, il n'est bon bec que de chez nous.

Elle entreprend alors la description détaillée d'un festin dégusté dans un village de Bourgogne, il y a bien des années, «un bijou de repas, ma chère, dans un bijou de petite auberge».

Rosaline sourit, ses yeux globuleux, soulignés de bleu violet, humides de nostalgie. Elle arbore une ample robe audacieuse où ressortent sur un fond camaïeu gris de larges fleurs voyantes sous lesquelles elle essaye de rendre discrètes des formes trop généreuses. Elle a l'air d'une grosse poupée en chiffon à bouche carminée. Sous le fard craque l'entrelacs de rides minuscules d'une peau fatiguée. Elle se tourne vers Ariane :

– Il faudra passer nous voir. C'est impossible ce trou, et avec l'hiver qui s'en vient... Avant, nous étions en Afrique et nous pouvions vivre en style, à la française, sans aucun problème. Le train que nous menions! Toujours quelque chose à célébrer dans la colonie de Français, des banquets fastueux où le meilleur champagne coulait à flot, des bals costumés, une fête perpétuelle sous un climat magnifique; et les serviteurs noirs coûtaient trois fois rien. Ici, ma femme de ménage se fait payer cher, encore, j'ai eu la chance d'en découvrir une! Et dire, qu'il va déjà falloir penser à l'hiver!

– Est-ce donc aussi terrible qu'on le dit?

– Le pire, comprenez-vous, c'est qu'on n'en sort pas. Le froid commence très tôt pour n'en plus finir; dans quelques jours vous allez voir, et on y sera toujours en mai : gel, tempêtes, neige et tout et tout. Impossible de mettre le nez dehors. Le vent brûle la peau, hiver comme été, et vous couvre de poussière dans un printemps qui n'est qu'une longue misère.

– Voyons Rosaline, arrêtez vos lamentations, interrompt Monsieur Boursac en s'écrasant dans un fauteuil. Quelle idée de décourager ainsi Mademoiselle! Ne l'écoutez donc pas, venez plutôt skier à Megève avec nous et alors, vous m'en donnerez des nouvelles de l'hiver!

– Allons donc, qu'en savez-vous? Vous êtes toujours parti sur les quatre chemins! Il n'y aurait que l'été de supportable, et encore, la ville est infestée de moustiques. En toutes saisons, moi, je préfère me réfugier à l'intérieur.

L'expérience d'Ariane est différente. En ce début d'automne, elle a savouré l'air cru et pur du petit matin, les belles après-midi lumineuses encore chaudes. Dans le sentier, le long de la Saskatchewan, chaque jour, les arbres se dorent davantage. Près de chez elle, les ormes immenses donnent aux avenues des airs de voûtes gothiques, embrasées par des vitraux ensoleillés. Elle aime marcher au milieu de cet éclatement de couleurs. Aux récriminations de la dame un peu poussive, enveloppée de grosses fleurs artificielles, font écho d'autres paroles rieuses, à l'accent rugueux, «ils n'ont rien senti, rien goûté, ils sont repartis sans avoir rien vu...»

– Ah, vous souriez, vous ne me croyez pas? Attendez, nous en reparlerons.

– À vous entendre, Rosaline, les sept plaies d'Égypte, c'est de la petite bière, comparées au climat de la région, plaisante Monsieur Boursac. Tenez, reprenez donc un peu de liqueur de framboise, ça va vous aider à voir le monde en rose!

Mais, Rosaline est lancée :

– Avez-vous prévu quelque chose pour Noël, au moins? Vous allez rentrer chez vous? En tout cas, hâtez-vous de faire vos réservations, s'il n'est déjà trop tard. Les gens louent leur place une année à l'avance, tellement ils craignent de rester coincés. Nous irons à Paris, cela va sans dire, les Delabare aussi.

Retourner chez elle est hors de question, le voyage coûte cher, le temps trop court; d'ailleurs, en a-t-elle envie? Isa abandonne son domaine cette année; elle se rendra dans le Sud chez une vague cousine.

– Décidez-vous vite! Janvier et février sont parfaitement invivables, souvent avec des températures de moins trente, moins quarante, des semaines d'affilée. Si vous n'avez pas de répit à Noël, vous risquez de suffoquer, d'attraper la fièvre de la hutte, comme ils disent. Vous voyez un peu ce qui vous attend. Et vous Louisa, où fuyez-vous pour les fêtes? Paris, la Floride?

– Je rentre à la ferme. Toute ma parenté sera là, mes frères et sœurs, mes grands-parents, les oncles, tantes et cousins jusqu'à la troisième génération. Nous fêtons le 25 décembre comme tout le monde et, début janvier, les célébrations reprennent pour notre Noël ukrainien. J'aide ma mère à préparer les douze plats traditionnels. Nous n'en finissons pas de festoyer. Si tu venais Ariane, mes parents seraient contents de te rencontrer, tu seras la bienvenue.

Elle n'a même pas encore songé à ce qu'elle ferait dans la ville désertée. Les montagnes Rocheuses, qu'elle avait cru à portée de la main, elle les sait très loin à présent, à une dizaine d'heures de voiture, davantage par train ou en car. Les étudiants repartiront chez eux, les profs, elle les connaît à peine. Puisqu'elle ne peut rejoindre Isa, elle est tentée de se laisser dorloter par la grande famille de Louisa.

Elle a toujours vécu des Noëls protégés, avec ses seuls parents, autour d'une table chaleureuse. Il est loin le temps où elle décorait l'arbre, encore humide de résine, que son père avait coupé dans la sapinière sur la colline; en plus d'étoiles, guirlandes et autres colifichets, elle y accrochait des friandises, des bonbons, des sablés à l'orange, des truffes au chocolat enveloppées de papier argenté, la spécialité d'Isa. Elle insistait pour emmener ses parents à la messe de minuit car elle adorait, à cette heure inusitée, la marche dans la nuit claire d'hiver vers l'église glaciale, mais son père devenait en vieillissant de plus en plus réticent. L'année dernière, claquant les talons de leurs bottes sur les trottoirs qui résonnaient comme du métal, accrochées l'une à l'autre, elle et Isa n'avaient pas senti le froid.

L'église était pleine de fleurs, et de fidèles raidis dans leurs habits du dimanche. Au-dessus d'eux, la senteur doucereuse de l'encens et les choeurs d'enfants aux voix fragiles, accompagnés par les graves imposants de l'orgue. Les paroissiens dociles entonnaient avec ferveur les rengaines vivaces. Puis, c'était le retour à bon train jusqu'au petit salon, chauffé doucement par la salamandre pour l'occasion. Elle allumait les bougies multicolores qu'elle avait placées avec soin au bout des branches pour qu'elles ne mettent pas le feu à l'arbre. Son père scandait des cantiques en alsacien, ramenés de la nuit des temps. Quelques aiguilles de sapin grésillaient. Isa apportait de la cuisine un merveilleux réveillon qu'on dégustait à la lumière des petites flammes d'espoir, dans une odeur fruitée de pinède : le velouté de la soupe à l'oignon, gratinée, la bûche de Noël au chocolat, fourrée de crème de marron, moelleuse, onctueuse, riche à en mourir sur le coup d'une crise de foie.

Louisa a parlé de douze plats traditionnels. Ariane aurait envie de s'initier aux rites et traditions de la culture ukrainienne. Mais, la tient un rêve déraisonnable de partir, au-delà de la plaine étale, quelque part parmi les arbres du Nord.

Loin du salon bavard, monte vers les Territoires du Nord-Ouest une zone de forêts et de lacs, l'Athabasca, le Grand Lac des Esclaves, celui de l'Ours. Un monde autre qu'elle est venue chercher jusqu'au fond des terres à blé. Au bord de la Rivière-aux-eaux-rapides, elle a rencontré le cotonnier, le héron bleu, les outardes, signes avant-coureurs d'un espace austère, inconnu, sauvage et en même temps infiniment familier qu'elle veut découvrir et retrouver, qui la tire vers le nord, lieu d'une présence essentielle.

Chapitre 7

Les visages de statue d'une bande de Sioux chevauchent l'écran de télévision; à travers un paysage déchiqueté de cactus et de pierre rouge, ils s'éloignent; ils se faufilent derrière des rochers, débouchent sur une plaine infinie où se dressent en silhouettes noires les arbres de Josué et les saguaros. Sans rien entendre elle regarde passer les images hypnotiques. Un ample mouvement de marée berce la plaine ocre en partance vers l'horizon. Le Far West s'estompe, fait place, au coeur d'une colline humide, à la sapinière ombreuse où le temps est venu d'aller à l'affût chasser les petits gris à pelage de souris, à odeur de musc, dont elles rempliront des paniers. Chaque automne, Isa court les bois. Loin des sentiers, elle s'enfonce, repère les ronds de tricholomes tapis au pied des sapins, cherche pour ses sauces noirâtres les précieuses trompettes de la mort.

Sonnerie intempestive, insolente. Louisa ne répond pas au téléphone. Avec difficulté, Ariane s'extirpe du sous-bois, fait taire l'engin brutal qui a interrompu leur cueillette.

Au bout du fil, Rob l'invite à une soirée chez ses parents. Ce grand Scandinave domine les autres, non seulement de sa stature, mais d'une avidité à apprendre qu'elle n'a pu ignorer. Tout l'intéresse : des textes de Balzac jusqu'aux dernières trouvailles de l'argot parisien ou du québécois, et il retient avec une facilité étonnante. Il y aura foule, précise-t-il, son père a rassemblé une bonne partie du corps médical, des collègues, ça risque d'être le fun quand même, surtout, insiste-t-il, si elle accepte de l'accompagner. Il arrive tout de suite.

Il arrête rudement, avec un violent bruit de freins, son bolide, voiture-sport, brillante de blancheur, dont il se déplie triomphant, plus haut que nature dans un complet foncé et des chaussures de ville bien cirées. C'est à peine si elle reconnaît le jeune homme qu'elle n'a vu qu'en uniforme d'étudiant, baskets, jeans, chemise de cow-boy à carreaux rouges et verts sous le blouson marqué à l'écusson d'une équipe de football. Il ironise, content de l'effet produit :

– Différent, hein! J'ai dû me fringuer, mes parents sont plutôt ringards de ce côté-là, mais vous, vous êtes super…

Les mêmes yeux bleus, les cheveux couleur de paille, dans leur blondeur nordique, ils se ressemblent. Il la conduit en trombe jusqu'à une spacieuse avenue bordée d'ormes.

Encadrée de verdure, une demeure monumentale en brique rouge brille de toutes ses baies vitrées. Des lions dorés en plâtre et de fausse colonnades grecques en gardent l'entrée. Tel un hall de gare illuminé, bondé et sonore, s'ouvrent en enfilade le living-room, les salons, la salle à manger et, tout au bout, une cuisine ultramoderne. Sous de lourds lustres baroques, frangés de pendeloques en cristal, une masse de groupes bavards agglutinés, auréolés de fumée, sirotent des cocktails, chipotent des canapés, s'esclaffant en rires gras ou pointus. Les toilettes acides et les maquillages violents des femmes étincellent à la lumière crue.

Rob pousse Ariane par le bras et se fraye un chemin étroit jusqu'à sa mère, affairée au milieu de ses hôtes. Très polie, elle essaye avec bonne grâce ses trois mots de français, s'excusant d'être un peu rouillée.

– Descendons Ariane, c'est en bas que ça bouge!

Il l'entraîne au sous-sol dans un autre living, beaucoup plus modeste, vidé de meubles celui-là, à part quelques sièges le long du mur où sont affalés des danseurs. La musique bat; serrées dans un espace restreint, des ombres vagues gesticulent presque sur place. Au fond, près du bar, seul endroit bien éclairé, coalescent des hommes rougeauds aux yeux déjà ternes, noyés.

On danse, chacun pour soi, corps désarticulé, gestes d'automates, tels des pantins disloqués par le rythme syncopé. Ariane s'abandonne aux spasmes libérateurs. Heureux, le front en sueur, continuant à battre le rythme de tout son corps, Rob s'offre à chercher des boissons.

Paupières closes, Ariane reprend son souffle quand elle se sent complètement enveloppée par la chaude caresse de deux grands bras et d'une bouche à peine posée sur ses cheveux. Elle n'a pas besoin de se retourner;

tout de suite elle a reconnu celui que, sans se l'avouer clairement, elle espère depuis le premier soir de son voyage en train.

Depuis, il y a eu beaucoup d'agitation, tout un travail pour s'adapter à son nouveau milieu, au campus, aux étudiants avec qui elle a fait amitié. Chaque journée a été pleine à craquer. Mais le soir, quand la rumeur de la ville et les bruits de la maison s'étaient enfin tus, et que le train lançait son appel déchirant à travers la prairie, alors elle se prenait à rêver à l'inconnu. Elle s'imaginait partir avec lui dans un pays qui commençait plus loin, là-bas au nord, au-delà des frontières de la plaine.

Sans parler, de la même façon que la première fois, elle s'appuie contre sa poitrine et niche sa tête sous son cou, comme s'il était un ami de longue date qu'elle aurait attendu. Il la garde près de lui. Il fait presque nuit dans le sous-sol, il pourrait prolonger l'étreinte douce, mystérieusement complète. Mais il lui fait faire volte-face et l'emporte au rythme de la musique. Il la tient éloignée, la fixant, impassible, de son regard lisse.

Rob revient, deux verres à la main. Il s'arrête net, elle a le visage tendu vers l'homme brun.

Ariane désire passionnément que son cavalier cesse de la percer ainsi de ses yeux immobiles d'épervier. Qu'il la ramène enfin contre lui où elle aurait envie de se blottir. Il continue à danser avec elle comme s'il faisait exprès de la tenir à bout de bras.

— Enfant d'Isa, comment allez-vous?

— Pourquoi m'appelez-vous ainsi?

— Vous ne m'avez pas dit votre nom...

— C'est vous qui avez disparu si brutalement, je vous ai cherché.

Il a un imperceptible sourire au coin des yeux et de sa bouche sensuelle.

Des reproches lui échappent malgré elle :

— Puisque nous nous rendions au même endroit, vous auriez pu m'attendre, me montrer la ville, m'aider à m'y retrouver!

— Les villes ne m'intéressent guère et puis, vous n'aviez pas besoin de moi. Je vous ai vue descendre du train. Une petite femme rêche vous avait prise en main et ne vous a plus lâchée.

— Miss MacNeill, la directrice; elle ne semble pas commode, en effet, à première vue.

Il a l'air amusé.

— Qu'aurait-elle imaginé, votre directrice, si vous aviez débarqué en ma compagnie!

Elle se rapproche de lui, contemple sans pudeur le nez fin un peu busqué, les pommettes hautes au-dessus des joues creuses, les cheveux plats, longs, épais et brillants. Elle voudrait toucher lentement le pur masque couleur du bronze pour en garder l'empreinte au fond de sa main.

— Alors vos étudiants font-ils des progrès? Et quels progrès? Qui est donc le blond dégingandé avec qui vous vous trémoussiez tout à l'heure si allègrement? Il reste penaud à présent, avec votre verre où vous n'avez pas daigné boire. Il nous surveille, attend que je lâche votre main pour s'en emparer.

Elle se serre contre lui; il la garde ainsi, lui murmure à l'oreille :

– Dites-moi votre nom, au moins...

– Ariane, petite-fille d'Hélios, fille de la belle Isa, aussi noire, aussi douce que vous.

– Est-ce donc la coutume chez les filles de votre pays de se jeter ainsi au cou du premier venu? plaisante-t-il, reprenant ses distances.

La musique se calme, les couples s'immobilisent. Il la retient devant lui, par les deux mains. Les joues roses, les cheveux en désordre, les yeux écarquillés, elle est chaude, désirable. Il propose à voix basse :

– Écoutez, je dois monter dans le Nord demain pour affaires, je vous emmène. Mais pas de talons hauts, nous irons en forêt. Au revoir Ariane, fille du soleil, amoureuse de la nuit. Il se penche un peu, pose ses lèvres sur les siennes et disparaît dans l'ombre.

Rob s'approche, l'enlève sans façon pour la danse suivante.

– C'est un de vos amis, ce type?

– Non, pas vraiment, je l'ai rencontré dans le train.

– Il a l'air vieux, un collègue de mon père sans doute. Méfiez-vous, avec ces gens-là, on ne sait jamais...

Rob voudrait s'amuser avec la compagne pleine d'entrain du début de la soirée. Elle est ailleurs, elle sourit dans le vide, hantée par un regard, par un visage. Elle est possédée par l'étranger. Demain matin elle le reverra. Vite, elle demande à Rob, plutôt déconfit, de la reconduire chez elle.

Chapitre 8

Elle ne saura jamais comment il l'a trouvée. Il est là, au rendez-vous, aussi à l'aise et élégant qu'en mondain, investi d'une grâce naturelle. La jeep monte vite, droit vers le nord. Elle reconnaît la prairie aperçue du train; des blés, il ne reste que les chaumes d'un blond plus clair. La plaine lui paraît moins plate, moins uniforme, coupée d'îlots de trembles, teintés d'or vert. Le long de la route scintille une succession de flaques d'eau, mares et petits étangs où plongent des colverts et barbotent, en troupeaux, des foulques noires au bec blanc. La prairie absorbe le soleil par tous ses pores et respire largement.

À Prince-Albert, il la laisse pendant qu'il vaque à ses affaires. Elle explore, cherche le centre, ne trouve que quelques rues droites, parallèles, des boutiques, une banque, des cafés et, tout de suite, la banlieue de bungalows bien sages, alignés en rangs derrière des pelouses où tombent les feuilles mortes. Elle revient vers les magasins plus animés. Des Indiens, surtout des hommes, plusieurs habillés misérablement, l'air abattu, errent comme elle sur les trottoirs, traînant leurs pieds nus dans des tennis usés.

Elle est contente quand il la rejoint enfin pour le lunch dans un fast-food. Des vieux sont attablés en cercle autour de hamburgers-frites servis avec un gros verre de coke. Ils sourient de leur bouche édentée, font de petits signes de reconnaissance à son compagnon qui leur répond avec chaleur.

– Vous les connaissez?

– Ce sont des Crees, mes frères.

Elle ne le quitte pas des yeux. Sans la regarder, d'une voix sourde, comme s'il faisait un effort, il ajoute :

– Je suis né là-haut, sur les mêmes terres qu'eux. J'avais à peine sept ans quand notre cabane a brûlé, un soir; mes parents, mes deux frères et ma soeur ont été carbonisés. Moi, j'étais chez la voisine quand c'est arrivé.

Il se rappelle l'éclat du feu, les cris, l'affolement des visages noirs autour de lui. Ensuite, plus rien, une nuit très longue.

– Peu après, j'ai été remis à un couple de Blancs. J'ai vécu chez eux; ils m'ont appris leur langue, m'ont envoyé à l'école. J'ai été élevé comme n'importe quel autre petit Blanc. J'ai grandi complètement coupé de mes origines, loin des miens.

Il se tait. Il semble inaccessible. Le silence dure.

– Et eux, comment vivent-ils?

— Eux? Que vous dire? Ici, dans la ville, ils trouvent difficilement de l'ouvrage, ils sont souvent désadaptés, pauvres. Au Nord, sur la réserve, au moins ils sont chez eux, entre eux.

— La réserve, quel mot sinistre!

Il ne dit rien.

— J'imagine des gens parqués derrière des fils de fer barbelés qui fixent, au-delà, l'espace où commence la liberté.

Il rit.

— Ce sont de grands territoires, précisément réservés aux Amérindiens qui les ont acquis lors des traités avec les Blancs, il y a une centaine d'années. Ils peuvent pêcher, chasser librement toute l'année. Ils y ont établi des villages avec leurs écoles.

— Parlez-vous cree?

— Très peu, j'ai oublié. Il ne me reste guère que mon nom traduit et un profond besoin de monter au Nord; là, je me sens chez moi; et aussi, il hésite, les yeux rieurs, ce goût inconsidéré que j'ai pour les filles au regard bleu.

Elle rougit tandis que les hommes bruns la dévisagent avec bonhomie. Elle est la seule femme dans le café, tache blonde qui détonne dans le groupe refermé autour d'elle. Elle ressent la fragilité d'une Visage pâle, prisonnière des Sioux.

— Ne craignez rien, nous ne sommes pas des sauvages, la rassure-t-il, amusé de l'embarras et de

73

l'incertitude qui se lisent sur les traits soudain crispés d'Ariane.

— Mais vous, vous êtes différent?

— Pas vraiment, moins usé parce que j'ai eu la vie tellement plus facile, c'est tout.

Elle n'est pas convaincue. Littlecrow a une superbe de chef. Son masque sombre aux lignes droites et dures tranche avec le teint terreux, les joues molles et grêlées des petits hommes avachis, au sourire bon enfant, qui continuent à la fixer de leurs yeux mélancoliques.

— Venez Ariane, il faut marcher en forêt aujourd'hui.

Il saisit la petite main dans sa paume chaude et referme ses longs doigts bronzés. Elle se demande quel pacte elle est en train de conclure avec le grand diable noir qu'elle suit aveuglément.

Flamboie une aveuglante après-midi d'automne, rousse et bleue. Maintenant il n'y a plus personne. De chaque côté de la route, la forêt, très différente de celles qu'elle a connues. Des troncs si maigres mais très compacts. Les trembles s'étirent filiformes, se tendent, étroitement tassés les uns contre les autres, s'épanouissent en couronne de lumière; ils dressent, à l'infini, une impénétrable barrière dorée derrière laquelle la masse sombre des épinettes, encore plus hautes, se presse. Les tamaracks brillent en taches d'un jaune doux.

Il arrête soudain la jeep au milieu de nulle part. Il l'entraîne par un sentier qui s'enfonce, moussu, spongieux, au coeur d'un sous-bois broussailleux, traversé de rayons vert mordoré. Bientôt, elle retrouve avec plaisir l'odeur de terreau des feuilles mortes mêlées aux champignons pourrissants.

Ils vont, l'un derrière l'autre; lui avance vite, d'un pas égal, sans se retourner. Sur leur passage, un écureuil rouquin, irrité d'être dérangé dans sa cueillette, s'envole d'arbre en arbre en piaillant. La forêt se fait dense et profonde, le sentier rétrécit en piste à peine tracée, veinée de racines, interrompue par de grosses branches tombées qu'elle doit enjamber. Ils montent, redescendent, tournent, traversent des ravines, sans jamais ralentir. Par endroit, le chemin a disparu, défoncé ou noyé par un ruisseau. Elle bute sur les racines. La promenade est devenue course d'obstacles à présent, épreuve d'endurance. Fatiguée, les pieds trempés, Ariane s'efforce de garder le rythme; il doit commencer à regretter de s'être embarrassé d'elle. Indifférent, il poursuit sa marche monotone, interminable, à travers une futaie ténébreuse d'épinettes décharnées.

Brutalement, la ligne des arbres s'arrête devant une baie, éclaboussée de la lumière irradiant des troncs ultrablancs d'un bouquet de bouleaux. La petite plage ouvre sur un lac, flaque d'or bleu, à demi cachée sur la gauche, par une bordure de quenouilles et de roseaux aux plumets cuivrés.

Elle se laisse tomber avec soulagement, pieds et jambes fourbus. Il se coule sans bruit à ses côtés sur le sable doux. Au-dessus d'eux frémissent sous la brise légère les feuilles rondes, ambrées, d'un jeune tremble. Immobiles, silencieux, pénétrés par la bonne chaleur de l'été indien, ils observent deux cormorans, arrêtés sur une roche émergée, étendant, dans une pose raide et comique, leurs ailes pour les sécher. Au milieu de l'eau flotte un grand oiseau argenté au long bec noir velouté. Dressant son cou cerclé d'un collier blanc, il lance tout d'un coup un étrange chant yodlé, saccadé, aussitôt repris par l'écho : entre l'oiseau et la forêt éclate un concert magique qui dure. D'un brusque coup de tête, l'oiseau plonge, resurgit beaucoup plus loin, son dos tissé d'argent captant les rayons de soleil. Il jette un cri d'alarme qu'il répète plusieurs fois, rire bizarre, envoûtant qui se répercute très loin au-dessus des cimes.

— Un loon, dit Littlecrow.

Le mot glisse liquide, entre rêve et folie. Ariane reste fascinée par le cri du Nord. L'appel lui est allé droit au coeur, l'emporte vers les régions rêvées de neige, de rafales et de glace. Elle frissonne malgré le soleil.

— Ariane, ne bougez pas, je vais revenir.

De sa démarche rapide, il s'éloigne, mince silhouette athlétique sur laquelle le bois se referme.

Elle reste un moment seule sur l'île de sable chaud. Autour d'elle, la forêt flambe en lames ininterrompues vers le nord. À la lisière du bois, un petit renard roux s'est immobilisé; méfiant, il la fixe, ses oreilles triangulaires dressées en alerte, sa queue grisée, moelleuse, gonflée comme un manchon de dame. Le loon lance encore une fois son rire étrange, saccadé, avant de plonger au fond des eaux où il disparaît.

Caresser l'écorce poudreuse des bouleaux lancés en

gerbes vers le soleil, flatter d'une main de géante la toison rugueuse de la forêt embrasée, en marche vers le pôle. Peu à peu lui reviennent ses paysages familiers, étroits, étriqués, irréels : les minuscules champs inégaux que limitent des haies d'aubépine et les modestes collines plantées de vignes et de vergers, la rivière indolente sur laquelle dérivait la barque d'un pêcheur de goujon. Étonnée, elle prend conscience de n'avoir jamais fréquenté qu'une nature pour rire. À l'ombre des gros marronniers débonnaires, le long d'allées ratissées, en habits respectables et chaussures délicates, les promeneurs déambulaient à petits pas, leur famille par la main. Nature du dimanche, reposante et sécuritaire, en contraste avec la dure forêt solitaire sur laquelle s'abat le soleil. Rompue, elle n'est pas prête à reprendre l'âpre piste.

Le temps passe. Il ne revient pas. Cernée de trois côtés par l'avancée des arbres, elle commence à s'inquiéter. Cette nuit, l'île flamboyante pourrait devenir dangereuse, funeste. Derrière le renard aux aguets, elle devine la présence d'autres bêtes sauvages, coyotes, lynx, ours, des loups peut-être... Une panoplie d'animaux féroces lui envahit la tête. Elle n'ose risquer un geste, mille yeux l'épient, la suivent, la cherchent. La forêt épaisse, au dos cuivré, resserre ses griffes autour d'elle.

Elle ne sait pas où elle est, ni comment rejoindre la voiture. Pourquoi son compagnon disparaît-il ainsi, insaisissable funambule? Elle n'a même pas l'heure. Le soleil baisse déjà.

Elle a envie de crier très fort son nom pour qu'il

vienne à son secours, mais elle a peur du son de sa voix dans le silence; elle craint de déranger l'ordre de la nature. Elle n'est qu'une étrangère en visite. Aucun droit, aucune appartenance. Jamais plus elle ne s'engagera à la légère avec un aventurier dont elle ignore tout. Peutêtre l'a-t-il simplement abandonnée pour rire de sa naïveté. Elle ne saurait survivre seule ici, elle est perdue.

Dans les joncs, les criaillements suraigus d'une grèbe jougris en colère la font sursauter. Sur le lac un canoë file derrière la ligne des roseaux. Littlecrow lui fait signe de sa pagaie; il s'avance vers la baie, aborde sans bruit; un large sourire éclaire son visage. Raidie par l'attente, elle court gauchement à sa rencontre.

Il était allé chercher le canoë pour lui éviter la fatigue d'une autre course sur le chemin rugueux.

– Vous n'êtes pas habituée à marcher dans le bush. Il vous faudrait des bottes solides comme les miennes!

Soulagée de l'avoir retrouvé, elle n'est guère rassurée par la frêle embarcation; elle s'y installe maladroite, risquant de la faire chavirer. Il rétablit l'équilibre, s'éloigne du bord en quelques coups de rame. À peine sortie de la baie protégée, elle découvre un lac immense, tout en longueur, dont elle ne voit pas la fin. Un petit vent les pousse mais elle a l'impression de ne pas progresser, l'eau n'offre aucune résistance, il pagaye dans le vide.

– Ne vous faites pas de bile, nous avançons, et même à bonne allure.

Aux derniers rayons du jour, les jaunes, les rouges, les verts tendres et foncés s'avivent, se fracturent dans l'eau sombre. Au-dessus d'eux, lançant leur cri nasal dans le vent, rament de grandes outardes déployées en V, suivies très haut dans le ciel par un voilier de cygnes étincelants. La fraîcheur commence à tomber du ciel et à monter du lac. Il lui jette une couverture sur les épaules. Devant elle, la surface noire, agitée, cache des profondeurs épaisses et menaçantes. Le ciel s'assombrit puis rougeoie, gonflé de nuages traversés de flammes. Le canoë poursuit sa course solitaire. Lui pagaye à cadence rapide et régulière, tandis qu'elle s'épuise en efforts presque inutiles. Les couleurs se taisent sous le souffle silencieux des espaces sauvages se retirant dans la nuit. Juste avant que les arbres ne s'éteignent tout à fait, il oblique vers la rive, tire le bateau sur le sable près d'une maisonnette en rondins. C'est la cabine de Bill, un ami trappeur dont il a emprunté le canoë. Derrière l'habitation, une piste se perd dans la forêt inhospitalière.

À moitié ankylosée, Ariane s'est extirpée de l'embarcation. De son côté, Littlecrow n'accuse aucune fatigue. Elle se tient là, un peu perdue. Il l'enveloppe dans la couverture et la frotte rudement pour la réchauffer. Elle se laisse faire. Le sang circule, ses jambes reprennent force. Il la tient serrée contre lui, sent les formes rondes et fermes d'Ariane s'écraser contre son corps dur et sec. Il embrasse doucement les cheveux qui sentent la résine, les yeux fervents dont il ne peut plus distinguer le bleu, les joues encore arrondies d'enfance. Un désir violent de prendre sa bouche, d'emporter la jeune fille jusqu'à la cabane pour y vivre la nuit. Elle s'abandonne confiante dans ses bras. Une fois encore, il la détache de lui.

– Ariane, ma douce, retournons à la jeep. Par ce sentier, nous sommes assez proches de la route.

Ils s'enfoncent à nouveau l'un derrière l'autre dans la noirceur du bois. Elle avance en somnambule, collée au dos de l'Indien. Peu à peu, elle parvient à distinguer le chemin devant elle, légèrement plus clair que, de chaque côté, les parois de la forêt. Un glapissement plaintif et lugubre traverse les arbres immobiles. Lui répondent les hurlements prolongés d'une meute pas très éloignée.

– Des coyotes : ils ne s'intéressent pas à nous, c'est sans danger.

Ariane tait son effroi, elle accélère encore le pas, trébuchant dans sa hâte à sortir du bois.

Ils retrouvent la voiture, reprennent la route du Sud sans un mot. Quand ils quittent la zone des arbres pour tomber sur la prairie, vaste lac impassible sous le ciel noir, il parle enfin :

– Resterez-vous dans le coin pour les fêtes?

– Je pense.

– Après Noël, je compte passer quelques jours dans le Nord à piéger et à pêcher sous la glace avec Bill. Si ça vous dit?

Elle ne répond rien.

– Il vous faudrait des habits chauds.

Après un moment de silence, il ajoute :

– Vous pourriez faire du ski autour de la cabane et sur le lac.

Skier sur le lac? Seulement une pellicule solide entre elle et le domaine obscur, habité de longues plantes sinueuses qui étouffent. Sous les skis, la fente dans la surface trompeuse s'élargira en crevasse. Et les lèvres de glace se ressouderont, indifférentes à leur proie. La perspective de skier sur un lac gelé la pétrifie. Mais elle veut connaître l'hiver dans la forêt boréale, vivre dans la maison de rondins sous la neige. Le désir de l'homme brun est impérieux. Elle ira.

Elle accepterait n'importe quoi pour garder sa présence. Aucune urgence de rentrer en ville. Elle laisse aller sa tête sur l'épaule de son compagnon, ferme les yeux, éblouie de couleurs obsédantes, lumière roussoyante de la prairie offerte au bleu intact de l'automne, mêlée au vert sombre des épinettes avalant les derniers roses du couchant où monte le rire lancinant du loon. Un rire grave comme le chant de flûte des Indiens, dressés immobiles sur quelque hauteur des Andes.

Chapitre 9

En une nuit, de hautes rafales soufflées du nord ont dépouillé les bords de la Saskatchewan, arraché aux ormes des avenues et du campus leur revêtement d'or, emporté outardes, hérons et pélicans. Le temps se fait lourd. Ariane espère un appel de l'homme brun. Devant les bungalows, les habitants se hâtent de ramasser, à pleins sacs, les feuilles éteintes sur les pelouses ternies de gel que balaye un grand vent sec et froid. Les couleurs ont disparu. Il ne traîne plus dans les rues râpées de vent que morne grisaille.

Ariane sort beaucoup avec une bande de camarades. Tous ensemble, ils se retrouvent au bar en petits groupes. Là, il faut boire.

Pommettes brillantes, les yeux espiègles, Gilles pousse Ariane du coude, indiquant d'un geste les verres non entamés, alignés devant eux.

– Allez, un p'tit effort, les Français ça boit sec, ça se met chaud aussi des fois, à ce qu'on dit. Vous avez encore rien bu!

– Deux verres d'un coup, ça me coupe la soif.

– Faites pas des manières, d'un coup ou l'un après l'autre, quelle différence? La voix un peu pâteuse, il insiste.

Elle avale sa bière d'un trait et commence à transpirer. Les haleines fortes, la fumée, l'odeur des corps trop proches. Tout d'un coup, elle a envie de sortir de là et propose :

– Et si on allait prendre l'air?

– Ouais, je préfère ma draffe! Dis, t'es pas sérieuse. Gilles la retient en riant. T'es pas bien avec nous autres? On a du bon temps, j'trouve qu'on est correct de même!

Après quelques verres, échauffé lui aussi, Rob veut l'entraîner danser dans l'espace restreint entre les tables, mais elle traverse son regard sans le voir. Sur les joues blondes de l'étudiant se pose un visage mat aux yeux légèrement en amande. Ariane pense à s'équiper de neuf; elle ira au rendez-vous dans le Nord, à la Noël.

Mi-novembre, une grosse tempête de neige ensevelit la région. Les arbres, grands épouvantails émaciés, exposés nus à toutes les misères, émergent, radieux encore une fois, molletonnés, ouatés de flocons duveteux qui scintillent. La ville renaît, transfigurée, bleue, blanche, phosphorescente aux pleins feux du soleil. Sur le sentier de neige fraîche, Ariane étrenne des bottes fourrées à talons plats et un parka bleu outremer; elle danse, aérienne dans sa bulle de duvet. La rivière, à moitié arrêtée dans son élan par une patine glacée, halète en blanches fumerolles.

Les températures se mettent à tomber sans bon sens, moins vingt, moins trente, plus bas encore. À l'intérieur par contre, dans les maisons, les magasins, partout il fait trop chaud. Elle se promène en chemisier dans l'appartement; impossible de supporter les épais chandails de laine qu'elle mettait tout l'hiver chez elle. Personne ne paraît souffrir du froid extrême ou s'en tourmenter. La vie continue normale, comme si de rien n'était.

Ses amis l'appellent le samedi soir pour aller au cinéma. Au milieu d'eux, elle subit des films d'épouvante dont elle ne saisit guère les subtilités, car dès que le sang gicle, elle ferme automatiquement les yeux, tandis que les autres s'esclaffent aux meurtres en série, aux orgies de violence et s'amusent presque autant de ses frayeurs scandalisées. Elle a beau faire, elle ne s'endurcit pas.

Ces derniers temps d'ailleurs, elle existe un peu en deçà du réel, plus tout à fait concernée. Elle suit le mouvement, tel un robot bien programmé, accomplit les choses ordinaires de la vie quotidienne, fait les gestes qu'il faut. Seule lui importe, au fond, une couche souterraine de son être où vit une présence silencieuse, dans la plénitude d'une journée d'automne traversée de soleil. Pour ne pas manquer la rencontre, le rendez-vous dans la cabine sous la neige, elle restera en ville, refuse les invitations à droite et à gauche que lui prodiguent des tas de gens plus ou moins inconnus, attachés à ne pas la laisser seule au temps des fêtes.

La hantent la caresse d'un regard et une façon qu'il a de la repousser tendrement qu'elle ne comprend pas.

L'année s'enfonce au coeur noir des longues nuits arctiques, ce qui la rapproche de lui. Elles sont la promesse d'un revoir imminent.

Louisa à qui elle s'est confiée s'indigne :

– Ce type te laisse complètement tomber pendant des mois et tu crois en lui! Quelle idée de t'inviter à partir après Noël, ça me paraît louche. Et s'il ne venait te chercher ni avant, ni après?

– Il viendra, ne t'inquiète pas!

– Tu ferais mieux de passer les fêtes chez moi. Mes parents, mes frères et soeurs t'attendent; je leur ai parlé de toi, bien sûr, on serait heureux de t'avoir avec nous.

– Je sais, je sais, Louisa, ce n'est guère raisonnable...

– Oublie donc ton projet biscornu de partir dans le bois avec quelqu'un que tu connais à peine.

Elle regarde Ariane qui n'a pas l'air de l'entendre.

– Par ce froid, tu n'as vraiment aucune idée! Il suffirait d'un blizzard. Ça peut devenir risqué, ton histoire, sais-tu que dans la prairie des gens se perdent chaque hiver, à deux pas de leur ferme disparue dans la tempête, et le lendemain matin, on retrouve leur corps gelé?

– Tu me fais des peurs!

– Mais pourquoi t'es-tu entichée de ce drôle de type? Il pourrait te vouloir du mal; franchement, tu n'es pas prudente.

– J'ai confiance, tout se passera bien, tu verras.

À regret et avec quelque inquiétude, Louisa finit par abandonner sa camarade à ses chimères.

Ariane s'applique à tromper le temps, arrêté sous le froid. Un matin, elle découvre son sentier au milieu d'une forêt enchantée de givre, perfection délicate de la passementerie fragile, minutieuse, ouvrée autour des ramilles les plus minuscules. Le vent est calmé; sous une carapace de glace la ville s'est raidie. Maintenant, une croûte inégale immobilise tout à fait la rivière. Les promeneurs sont rares, elle ne croise qu'une forme solitaire, encapuchonnée jusqu'aux yeux, précédée d'un molosse ébouriffé, s'ébrouant gaiement sur les talus neigeux.

Elle écrit à Isa, qu'elle a bien négligée depuis son retour du lac sans nom, lui raconte par le menu sa vie à l'université, ses marches, malgré des températures barbares, au bord de la rivière devenue solide, les sorties avec ses camarades, mais elle oublie de mentionner Littlecrow, l'homme-oiseau. Elle est incapable de parler de lui à sa mère.

Elle se précipite pour répondre à chaque appel du téléphone dont elle ne peut se passer à présent. À bout d'espérance, elle reconnaît enfin son accent quand il prononce son nom.

– Ariane, ma douce, toujours décidée?

– Vous, enfin! Sa voix est incertaine.

– Ariane, pardonnez-moi mon silence. Je n'ai pu

vous appeler avant, je vous expliquerai. Vous ne venez plus?

— Mais si, qu'est-ce que je dois apporter?

— Vous et vos habits les plus chauds. Ne vous tracassez pour rien, j'aurai le nécessaire. Je passe vous prendre demain.

Chapitre 10

Il fait encore nuit. Sur le trottoir, à la lumière fade du néon, elle hésite, recroquevillée au fond de son parka. La jeep crisse sur la neige sèche. Léger, il saute à sa rencontre. Il ne porte qu'un gros pull rouge à col roulé, pas de manteau, pas de bonnet, il a les mains nues. Il se penche, embrasse le petit bout de visage qui dépasse à peine du capuchon bordé de fourrure.

– Encore plus jolie qu'à l'été; vous voilà bien protégée là-dessous!

Laissant derrière eux la ville qui dort, repue après les bombances, ils partent à la barre du jour. Peu à peu, les étoiles cèdent la place à un dur matin de cristal au-dessus des chaumes enneigés, rosis de soleil levant, bientôt aveuglants d'une blancheur dorée. Lumière, radiance, infini éblouissement de plaine et de ciel confondus, la prairie s'étire jusqu'à la zone des forêts. Là, les arbres s'alourdissent, arrondis de bonheur sous l'épaisse couche de neige tombée récemment.

Ariane a rejoint un décor de légende. Au chaud

dans le cocon de son parka, elle se tient près de son compagnon solide et tranquille. Ils fêteront l'hiver ensemble. Elle a imaginé la maisonnette, ouverte par de larges fenêtres sur la nature et, autour du grand feu clair, quelques meubles doux au toucher, sur un plancher de bois ciré reflétant la lumière. Elle savoure d'avance le fumet de gibier en sauce et de légumes frais mijotant dans les aromates, mêlé au parfum de Noël des chandelles qui coulent. Au-dessus des lits de peaux et de fourrures, elle mettra un bouquet de fleurs séchées dans un vase vieil argent...

Au fur et à mesure qu'ils montent vers le nord, des congères envahissent la route étroite de leurs pointes compactes de plus en plus dangereuses. Les chasse-neige ne sont pas venus jusque-là. Il conduit lentement au milieu du chemin dans les traces de pneu laissées par un autre véhicule. Brusquement elles s'interrompent, devant eux la route n'est plus qu'un champ de neige vierge. Il s'arrête.

— Est-ce que nous sommes bloqués sur ce chemin qui ne mène nulle part?

— C'est le bout de la route. Tenez, mettez ça, dit-il, en lui tendant une longue combinaison noire.

Il descend, enfile un survêtement de la même couleur, fixe des raquettes à ses mocassins et s'éloigne dans la grosse neige en direction du bois. Il réapparaît peu après, pétaradant sur un skidoo.

— Bill l'a laissé là pour nous. Il fait en-dessous de moins trente, le froid sera bestial. Heureusement, ça marche; ces engins démarrent tout seuls.

Il s'assure qu'aucun pouce de leur peau ne dépasse, puis sort de la jeep un traîneau léger à base d'aluminium et rebords de toile qu'il déplie. Avec ses côtés élevés, le traîneau ressemble plutôt à une sorte de grand berceau; il y range tout un attirail, caisses de nourriture, raquettes, une paire de skis, des outils, deux sacs de couchage, des couvertures, et recouvre hermétiquement le dessus d'une toile protectrice.

Bottés, casqués, le visage caché derrière d'épaisses lunettes, transformés en noirs scaphandriers des neiges, ils s'engagent à petite vitesse sur un sentier au milieu d'un nuage de poudre soulevée du sol et tombant des branches qui les grafignent au passage. Le traîneau cahote derrière. Ariane s'agrippe à son cavalier. Il avance avec précaution, s'efforçant de minimiser les heurts. Elle ne reconnaît absolument pas le sentier suivi à l'automne. La forêt embrasée, le sous-bois moussu, les senteurs poivrées de terre humide et de feuilles sèches, tout a disparu sous un mol édredon à l'odeur fraîche et fade.

La piste déboule sur une plaine où la motoneige bondit librement, emportant Ariane au rythme rapide d'une course fantastique à travers la toundra. D'un coup, elle réalise que c'est sur un immense lac gelé qu'ils filent à cette allure. Son coeur se grippe. Sous le poids, la surface va sûrement se fissurer. Ils s'engouffreront, motoneige, traîneau et êtres humains en une terrible chute. Elle lui crie d'arrêter la course suicidaire, de retourner à l'abri des arbres… en vain, le bruit du moteur et le casque étouffent ses protestations. Elle doit se résigner à être engloutie, sacrifiée aux dieux du Nord qui règnent sur les sauvages espaces figés. Ils n'aborderont jamais sur la rive lointaine près de la maisonnette.

La machine ralentit son élan, se rapproche de la lisière sombre des épinettes. Un dernier bond... Il arrache ses lunettes, son casque; un sourire heureux adoucit les traits de son visage. Il aide Ariane à se débarrasser et boit à pleine bouche son haleine glacée.

Devant une cabane, la neige est tassée, des pistes de skis, de raquettes et de motoneige partent dans différentes directions. À l'intérieur, la cabine est froide, abandonnée.

– Bill a dû partir trapper. Il a une bonne cinquantaine de pièges, il va les vérifier, en relève une partie chaque jour.

Il rallume le feu dans un vieux fourneau de métal rouillé, haut sur pattes, qui occupe le coin près de la fenêtre. En face, le long du mur, les couchettes étroites, superposées, dont l'une est encombrée de vêtements et de couvertures roulés en boule. Les autres sont seulement couvertes d'un matelas douteux. Il y jette les sacs de couchage.

– Installez-vous, je vais couper du bois, il n'y en a presque plus.

Elle s'extrait de sa combinaison de skidoo et regarde autour d'elle en fronçant le nez. Le feu fume désagréablement dans la pièce unique, pas très vaste, qui ne donne que sur un coin de lac par une maigre fenêtre, à moitié bloquée par le givre. Au milieu, disparaît, sous le bric-à-brac, une table entourée de quatre chaises disparates. Entre la porte et le fourneau, un évier sur lequel traîne de la vaisselle sale, pas de robinet mais un seau couvert de glace, une cuvette, un autre seau vide, des torchons et des serviettes pas propres. Quelques boîtes de conserve et des ustensiles de cuisine en vrac sur une étagère. Mieux vaut ranger vite dans le tiroir des ramasse-poussière la carte postale du bonheur qu'elle s'était inventée.

L'odeur râpeuse de fumée, de vieilleries renfermées, prend à la gorge. Elle ne se sent pas à l'aise dans la cabane minable, étriquée où ne pénètre que peu de lumière. Pour calmer son désarroi, elle sort de son rucksack un pull neuf, tricoté par Isa juste avant le départ, et s'enfouit le nez dans les fleurs rouges qui sentent encore bon la lavande et la laine propre. Après avoir déroulé son sac, elle entreprend de rétablir l'ordre autour d'elle. Tant bien que mal, elle met une casserole de glace à fondre sur le poêle qui produit plus de fumée que de chaleur. Elle balaye le plancher et range la table. Ses activités ménagères l'ont requinquée. Avec les moyens du bord, elle commence à laver la vaisselle quand il entre, chargé d'une énorme brassée de bûches humides à senteur d'écorce. Il bourre le feu à bloc, allume la lampe tempête. Il n'est guère que quatre heures mais le soleil est tombé; la nuit polaire descend sur eux.

— Il faut aller chercher de l'eau au torrent avant qu'il ne fasse trop sombre. Remettez votre parka, c'est assez loin.

Ils vont par un sentier glissant jusqu'à un autre lac, traversé par un courant très rapide que le gel ne prend jamais complètement. Il avance avec précaution sur le rebord durci, plonge l'un après l'autre les seaux dans l'eau noirâtre et ils rejoignent, plus lentement, le refuge dont l'oeil unique brille dans l'obscurité. Assoiffée, elle avale à pleines goulées l'air cru et pur, à même la nuit glacée d'étoiles.

Elle rentre, un peu réconciliée avec l'humble cabane de rondins. Lui commence sans rien dire à préparer le souper : avec un grand sérieux, il fait revenir des oignons dans un poêlon, puis frire de la viande congelée. Il jette deux poignées de longs grains noirs au fond d'un faitout cabossé qu'il remplit d'eau.

– Du riz sauvage, explique-t-il, récolté dans les environs. Vous avez l'air affamée?

– Je défaille!

Les joues en feu, elle suit les opérations, n'ayant rien mangé depuis la veille au soir. Il fait bien chaud maintenant. Littlecrow est en jeans et en chemise blanche, incongrue dans le décor fruste. Il a natté ses longs cheveux noirs et ceint son front d'une lanière de cuir. Elle admire le profil tranchant du chef absorbé dans ses marmites. Elle le découvre aussi habile à frichtiquer un repas qu'à chevaucher un skidoo, diriger un canoë... aussi bien dans sa peau ici devant le misérable poêle, que dans le salon de Rob, maître de la situation, discret, parfaitement efficace. Son père, lui, ne faisait jamais rien à la cuisine. Le jardin, la cuisine, c'étaient les domaines d'Isa.

Il devine sur lui le regard intense, se retourne, abandonne ses fourneaux. D'un geste, il la soulève dans ses bras, embrasse les yeux bleus qui se ferment sous la caresse, entoure solidement la taille fine et les hanches rondes. Soudés en une seule liane, ils n'ont plus faim que l'un de l'autre.

Un courant d'air frigide brise leur étreinte tandis qu'un personnage balourd pousse violemment la porte en criant :

– Hi Cliff! J'ai une faim du diable!

Pêle-mêle, il abandonne sur le plancher bonnet, mitaines, sa veste raidie qui se met à fumer; il se frotte les mains au-dessus du feu, plonge son nez et sa barbe rousse dégoulinante de glaçons dans le chaudron. Il est court, large, la peau couperosée sous la barbe.

Tout de suite, elle déteste les manières brutales du rustre.

– Bill, c'est Ariane, ma jeune amie.

Il la détaille de ses yeux rouges de furet, grommelle des paroles indistinctes où elle croit vaguement comprendre qu'il n'en a cure. Sa patte écrase la main tendue. La lampe tempête projette son ombre épaisse sur le mur.

Elle se hâte de mettre la table, sert les plats brûlants. Ils dévorent tous les trois, rapidement, sans un mot. Bill se lève, revient s'asseoir à table avec une tasse de café.

– J'suis crevé; toute la maudite journée à patauger dans la grosse neige pour ramener quèques méchantes peaux de renard et de rat musqué. J'vas me coucher, j'repars demain matin d'bon'heure. En seras-tu, Cliff?

Celui-ci regarde Ariane, hésite, va vers le poêle d'où il rapporte deux tasses de café.

Bill la fixe sans cacher sa mauvaise humeur. Qu'est-ce que cette gamine des villes est venue fabriquer dans le bois? Ça n'a qu'à rester chez soi. Ils sont tellement mieux entre hommes, deux vrais chums qui s'entendent sans paroles. Il aime la compagnie de Cliff, aussi habile, aussi fort que lui. Jamais aucun problème avec ce gars-là, une résistance extraordinaire, un sens précis de l'espace. Ils ont parcouru ensemble des milles et des milles. Cette mijaurée va tout gâcher, pour sûr.

Ariane rêvasse à ses camarades bruyants et légers dans cette station des Vosges pendant les vacances de carnaval. Elle se rappelle en souriant l'après-midi de jeux sur les pentes, le repas joyeux préparé par la mère aubergiste et la soirée de chants accompagnés des guitares, autour des flammes dans la cheminée de brique. Atmosphère d'insouciance, de petits plaisirs.

Au centre de la cabane enfumée perdue au bout d'un lac, seule avec les deux hommes silencieux qui l'observent étrangement, voilà qu'elle se sent prise au piège. Louisa l'avait prévenue :

– Avec ces gens-là, on ne sait jamais. Les filles, on les retrouve violées et assassinées près des réserves.

Mais c'est du Blanc qu'elle se méfie. Depuis qu'il est arrivé avec son odeur et son sourire mauvais, son ami lui échappe. Il partira demain sur le lac sans se retourner, la laissant sur le rivage désert.

Elle voudrait être «un» des leurs, se lever avec eux à l'aube, avaler un bol de porridge ou n'importe quelle autre pâtée nourrissante accompagnée de café noir, et s'élancer sans crainte dans le petit matin glacial, en raquettes, sac au dos, sur la trace d'animaux à qui on arracherait plus tard la fourrure. Elle souhaite devenir rude et brutale, comme eux.

Elle en a assez des peurs multiples qu'elle découvre en elle, de la forêt, de l'eau, peur du froid et du silence, peur des animaux sauvages et maintenant de ses compagnons. Elle en a assez de cette peur de vivre qui lui colle à la peau. Elle se croyait solide, hardie, aimant les randonnées solitaires, mais toujours il y avait à proximité un village, un magasin, une gare, un centre de vie quelconque; elle croisait d'autres gens à pied, à bicyclette, en voiture. Elle ne s'éloignait pas trop des bras, du sourire, de l'amitié d'Isa. Son doux et vieux pays était à sa mesure et il était peuplé.

Le froid meurtrier, la forêt infinie, ces espaces vides, illimités, extraordinairement immobiles et muets la paralysent. S'il l'abandonne, elle s'encabanera, restera à nourrir le feu et à surveiller par l'étroite fenêtre. Pas question de s'aventurer sur le lac, même s'ils l'ont traversé hier en motoneige. C'est sans doute pur miracle qu'ils ne se soient pas effondrés dans une crevasse. Croît en elle la phobie de l'eau, liquide ou solide, prête à se transformer en gouffre sournois pour l'engloutir. Il suffirait peut-être de se jeter dans les bras de son ami pour le retenir; elle se refuse à cette lâcheté.

– Mais oui, allez, partez sans inquiétude. Ça ira très bien, je ferai du ski, s'entend-elle déclarer d'une petite voix aiguë qui ne lui appartient pas. Des bruits de tisonnage la réveillent en pleine nuit. Ils ont ravivé le feu. À l'odeur du bois se mêle l'arôme du café frais, comme par les matins de son enfance, quand elle écoutait sa mère faire le feu, remuer dans la cuisine en préparant le petit déjeuner. Elle s'enfonçait alors avec délice sous l'édredon, pour retarder le plus possible le moment de quitter la bonne chaleur et forcer Isa à venir la tirer de son nid de duvet.

Les deux hommes s'activent sans rien dire. Il se penche au-dessus de la couchette, l'embrasse tendrement. Elle noue ses deux bras autour de son cou pour prolonger la délicieuse caresse, le retient encore un peu.

– Dormez ma douce, à ce soir.

– Bonne chasse, revenez-moi vite!

Ne pas le lâcher! Elle pressent qu'elle ne le reverra plus. Il va lui arriver malheur en compagnie de l'homme roux à la figure mauvaise et elle restera à la merci de cette brute.

– Je t'apprendrai à t'amouracher d'un Indien! Ah, les Blancs ne sont pas assez bons pour toi!

Il la torturerait, la sacrifiant à petit feu comme il devait faire avec les bêtes qu'il dépiautait.

Chapitre 11

Sur des images peu rassurantes, elle s'est rendormie. Quand elle ouvre enfin les yeux, il doit être tard; il fait grand jour. Elle court à la fenêtre aux trois-quarts givrée. Le lac irradie sous un soleil d'un bleu méditerranéen. Au contact du plancher glacial, ses orteils nus se rétractent. Elle voit monter la buée de sa respiration. En hâte elle s'habille. S'occuper du feu avant d'être prise par le froid. Il reste des braises qu'elle ranime, elle réchauffe le café, fait brûler des toasts directement sur la plaque du fourneau. Sa faim un peu calmée et à cause de tout ce soleil bienfaisant, elle est prête à tenter l'aventure. Déjà, elle ne dispose plus que de quelques heures de plein jour. Il faut se dépêcher.

Près de la porte, Bill a empilé un tas de fourrures gelées qu'il garde là pendant l'hiver. À côté est plantée une paire de skis en bois élimés, écorchés mais bien lisses. Elle les essaye sur le sentier assez plat, tracé par la motoneige. Un peu longs, très glissants. Elle dérape de droite à gauche, garde difficilement son équilibre, avance avec la grâce d'un pingouin sur la banquise. Elle s'acharne. La première côte, un véritable désastre. Cette fois, elle recule et les skis se croisent par derrière. Après quelque temps de cet exercice, elle a si chaud qu'elle se débarrasse de son parka, l'accroche à une épinette pour le prendre au retour. Rien à craindre des voleurs : il n'y a personne.

Peu à peu, elle réussit à trouver une sorte de rythme qui la propulse à travers la forêt odorante, traversée de rayons verts. Elle respire à pleines narines la senteur puissante des pins baumiers dont les branches plates, trop chargées, se relèvent et l'éclaboussent de neige. Une mésange à tête noire troue le silence de son chant allègre sur deux notes : chicadee, dee, dee...

Elle revient sur ses pas jusqu'au bord du lac où elle se risque enfin, prenant soin de raser de très près la ligne des roseaux aux plumets étincelants. La neige glacée bouge en reflets roses sous le soleil. Dès qu'elle s'arrête pour reprendre son souffle, qu'elle a court, sans doute à cause du froid intense, la sueur se fige dans son dos. La piste de motoneige conduit vers le milieu du lac; elle ne la suit pas, fait demi-tour, rentre, doit se changer complètement car elle est trempée jusqu'à la peau. Elle boit l'eau froide puisée au torrent, puis décide de préparer le souper pour le retour des hommes. Fouinant ici et là, elle trouve ce qu'il lui faut : épices, oignons, fèves, des tomates en boîte et de la viande hachée congelée; au-dessus du petit poêle bancal elle s'applique à préparer un chili con carne; Louisa lui a montré comment concocter ce plat mexicain économique qui devrait satisfaire les solides appétits des trappeurs.

Par le seul carreau non givré, elle surveille le soleil couchant. Une bande d'un rouge tendre tourne au mauve pâle, s'ourle de vert clair. La nuit arctique menace, ramenant ses appréhensions. Elle s'affaire : cuisiner, entretenir le feu, ranger, remplir le vide. Pas de musique, pas de radio, plus de lumière dehors, aucun signe de vie. Elle ouvre la porte, espérant les entendre revenir. Des craquements insolites suivis de gargouillements démoniaques montent du lac. L'eau gèle en profondeur, elle fissure et fait éclater la glace. Grondements étouffés, explosions sourdes et détonations se succèdent. Un effrayant sabbat couve sous la surface. De grands pans d'air froid tombent dans la cabane dont elle repousse vivement la porte. Elle se colle près du poêle à côté du chaudron de chili. Elle met à bouillir une casserolée de riz sauvage comme elle l'a vu faire la veille. La faim de nouveau, mais elle n'ose toucher à rien avant leur arrivée.

Partout dans les villes, des gens normaux sont en train de célébrer les fêtes de fin d'année. Ils se sont mis beaux pour l'occasion, dégustent autour d'une table élégante des mets délicats accompagnés de crus renommés. Les Delabare, les Boursac, eux aussi, s'amusent bien au vieux pays avec leurs amis; Louisa doit festoyer, entourée de sa nombreuse famille, réunie dans la ferme spacieuse, confortable, construite par son père, à l'autre bout de la province. Qu'est-elle donc venue fêter seule ici, possédée par un rêve du Nord, né dans la sécurité de ses livres d'enfant?

Le sourire des yeux noirs légèrement bridés, une

bouche aux lèvres pleines si chaudes sur les siennes, les longues mains bronzées autour de sa taille, la présence de l'homme-oiseau, le mystère de son étrange beauté et de son harmonie avec cette terre étrangère : sa voix moqueuse et un peu rauque l'a appelée, attirée, retenue au fond de la forêt austère, près des eaux qui se plaignent, douloureusement enfermées sous la glace. Depuis leur brève rencontre dans le train, elle l'attend, elle l'espère. Il ne revient pas, il lui a préféré la compagnie de l'autre, le rustre à l'odeur de roussi. Elle n'a pas de place à côté des deux aventuriers. Elle doit les agacer avec ses mines effarouchées d'un rien, ses craintives escapades sans but.

Tandis qu'elle continue de se lamenter ainsi sur son sort, elle entend enfin le bruit de raquettes qui se rapprochent. La porte enfoncée d'un coup de pied encadre une forme brutale au visage mangé de gel. La barbe blanche, les cils collés par le givre, les yeux aveugles, Bill entre seul.

Effrayée, elle recule jusqu'à sa couchette.

Bill s'ébroue en maugréant.

Aussitôt elle imagine le pire, il s'est peut-être approché trop près du courant à vif, là où la couche de glace est trop mince. Elle demande, affolée :

— Il est mort?

— Mais non, l'idiot s'est enfargé le pied dans un de mes pièges. Le bas de la jambe à demi arraché.

— Vous l'avez abandonné dans ce froid? Vous voulez le tuer! Elle crie, elle l'accuse.

Il l'arrête d'un geste de colère, lui brisant le poignet.

— Vous êtes complètement folle. Batêche! pisque j'vous dis qu'y s'est pris dans un piège.

Il la secoue avec violence, elle crie plus fort :

— Vous mentez! C'est un Indien, il connaît le bois mieux que vous!

— Mais, y s'agit pas de lui! C'est l'autre niaiseux qui s'est aventuré dans le coin sans savoir ce qu'y faisait. Cliff l'a pansé comme il a pu. Il a allumé un feu, pis est resté là-haut à s'occuper du pauvre diable. J'suis venu chercher le skidoo pour les ramener.

Bill la lâche, fait mine de cracher.

— Vous m'écoeurez avec vos airs de sainte-nitouche. Toutes des dingues!

Elle a seulement compris qu'il est sauf. À moitié rassurée, elle se laisse tomber sur le lit.

Embarrassé, Bill lui apporte un bol plein de chili fumant.

— Tiens, dit-il maladroit, ça vous remettra.

Elle tente un mince sourire.

— Excusez-moi, je ne sais pas ce qui m'a pris...

— O.K. d'abord, faut que j'me grouille. Ça gèle à pierre fendre là-haut.

En vitesse, il avale quelques cuillerées brûlantes, remplit une cantine de viande chaude, enroule deux sacs de couchage. La motoneige tousse deux ou trois fois, démarre et disparaît dans la nuit.

Pour se calmer, Ariane se trempe le visage dans la cuvette d'eau glacée et reprend le guet près du feu qu'elle attise d'un geste machinal. Elle n'aime pas la panique qui s'est emparée d'elle quand l'homme roux est rentré seul. Elle a eu peur pour son ami, plus encore à vrai dire, pour sa sécurité à elle. Sans Littlecrow, elle ne resterait pas une minute de plus, mais a-t-elle vraiment raison de se fier ainsi à lui. Pourquoi ne dit-il rien de sa vie, de son travail, de sa famille adoptive? Il semble exister seulement au présent. Très réservé, parlant si peu. Il avait promis, «je vous expliquerai», mais n'en a rien fait. Et si Bill mentait, s'il revenait avec un autre individu primitif dans son genre... Elle a vu les fusils quand ils sont partis ce matin. Bill est armé, dangereux. Il la prend sans doute pour une sotte qu'il serait facile de violer. Derrière la porte, le lac gronde encore, craque, pleure et menace.

Elle ne peut qu'attendre, et si elle continue à se monter ainsi la tête, elle risque de provoquer des catastrophes. Ne plus penser à rien. Il y a une bonne provision de bûches alors elle s'absorbe à maintenir le feu roulant, fait bouillir de l'eau, prépare du café. Il a mentionné un blessé. Juste en cas, elle arrange la couchette du bas.

Pour apaiser son coeur qui bat trop vite, elle essaye d'imaginer Isa au milieu de ses grands soleils devant la maison blanche. Elle voit le visage de sa mère, mais il s'estompe comme si le lien avait été rompu. Rien ne correspond plus à son monde familier. Elle se débat, sans bouger, dans l'irréel d'un film d'épouvante qu'elle se crée.

Au bout de la nuit, le bourdonnement lointain d'un moteur. Elle se raidit à côté du fourneau, prête au pire. Sans faire un geste, elle attend. La porte s'ouvre toute grande, son ami lui sourit, il porte avec l'aide de Bill un corps emmailloté, terminé par une boule hirsute.

Elle respire l'air coupant de la nuit qui est entré avec les hommes en procession et s'empresse vers le lit sur lequel ils allongent le blessé. Il n'a pas l'air sympathique, des yeux creux sous les arcades sourcilières proéminentes, une moustache poivre et sel englacée tombant de chaque côté d'une lourde mâchoire.

Bill apporte du café à l'homme qui geint en sourdine. Littlecrow a dégagé la jambe et défait le pansement sommaire; après avoir nettoyé la plaie profonde avec soin, il remet un bandage propre.

Il cherche Ariane des yeux, vient s'asseoir près d'elle, l'entoure de son bras.

— Ce sont des choses qui arrivent dans le bois.

Elle se serre contre lui et il ajoute avec une certaine lassitude :

— Il a une forte fièvre, il faut le conduire d'urgence à l'hôpital. C'est une vilaine blessure, ça pourrait s'infecter, le métal était rouillé.

— C'est bon, reste ici, j'y vais, grommelle Bill de sa voix sourde.

Enveloppé de couvertures, l'homme est installé à nouveau le plus confortablement possible dans le traîneau.

– À demain soir, lance Bill s'éloignant sur le lac.

Chapitre 12

Elle entrouvre à peine les yeux, ceux de son ami brûlent énormes près des siens. Penché au-dessus de la couchette, il la picore de baisers. Elle s'abandonne heureuse. À la limite du rêve, elle ne désire pas sortir du sommeil, de peur de briser l'enchantement. Elle l'entoure de ses bras, plonge ses doigts dans l'épaisse chevelure de paille noire. Il l'embrasse, mange ses joues et les lèvres qui se donnent. Avec une douceur infinie, les mains brunes trouvent les rondeurs sous le duvet léger. Lentement, elle émerge au jour, s'ouvre à l'amour, explore le visage aimé, découvre les muscles lisses et durs. Une forte vague chaude l'emporte vers une plage ensoleillée aux couleurs cuivrées d'automne où elle restera à jamais étendue, offerte et nue. Les caresses de plus en plus profondes la font crier de plaisir. Ils s'aiment sans se déprendre jusqu'à la tombée de la nuit.

Littlecrow a déniché un gros baquet qu'il remplit d'eau chaude. Étroitement liés l'un à l'autre, ils se baignent, riant, s'éclaboussant.

Dehors, près de la cabine, il allume un haut feu qui

craque, projette ses étincelles sur le ciel. Quand les braises commencent à rougeoyer, avec précaution, il met à cuire les poissons que, plus tôt le matin, il avait tirés du lac par un trou foré dans la glace. Attirés par la promesse du festin, un couple de geais gris impertinents les harcèlent de criailleries impatientes. Un grand corbeau, venu de très loin, descend lentement sur eux, les encercle de son croassement hiératique.

— Petite-fille d'Hélios, reconnais-tu l'oiseau-frère, porteur de vent et de nuit qui tourne autour de ton amant? Regarde, il fait clair en pleine noirceur arctique avec ce feu et nos coeurs qui flambent. Nous sommes la neige et l'ombre unis dans la flamme vive.

Il l'enlève comme une plume, vole et tourne avec elle autour du brasier. Juste au-dessus d'eux, le ciel se met à bouger, s'anime, vibre en vastes lueurs dorées. La danse de lumières mouvantes, blondes, roses, vertes, ondule et crépite dans l'espace, les accompagne d'une ronde fantastique. Changeant sans cesse de forme et de couleur, les longues franges verticales glissent des étoiles.

Il la soulève, l'emporte à la cabine dans ses bras, la déshabille toute, l'embrasse jusqu'au coeur de son être. Beaucoup plus tard, il la regarde dormir. Elle est tombée dans un sommeil traversé d'aurores boréales phosphorescentes et de grands oiseaux bénéfiques à plumage noir. Il remonte le sac de couchage sur les épaules rondes découvertes, sans bruit, il recharge le poêle et sort.

Les geais se disputent les débris de leur repas près du feu encore brûlant. Il part vers le large partager son trop plein de bonheur avec la nuit; les raquettes râpent la croûte de neige granuleuse, un petit vent vif lui égratigne le visage. Du vaste ciel d'un mauve sombre les étoiles tombent de partout. Il avance vite, monte vers le nord, suit l'étoile polaire en équilibre au bout de la constellation de l'ours.

Ariane le comble. La promesse des yeux bleus a été tenue. Il aime l'enfant neuve à la peau nacrée, aux pointes roses fragiles. Il sent au creux de ses paumes les courbes pleines et fermes, dans sa bouche, le parfum frais du corps potelé dont il a encore grand faim.

Au premier contact des yeux et des mains, il l'avait désirée. Le bleu du regard enfantin s'offrait avec candeur; il avait aimé la façon qu'elle avait de venir à lui sans retenue. Cependant, il avait voulu la garder à distance. Pour la protéger. Il avait cru pouvoir à la fois l'avoir près de lui un peu plus longtemps et l'éloigner, en interposant Bill entre eux. À cause de l'homme blessé, ils s'étaient retrouvés seuls. Il n'avait pas prévu pareille ardence, une telle plénitude. Il ne regrette rien.

Il l'emmènera toujours plus loin vers le nord. Il lui apprendra les traces des animaux sur la neige, les cris des oiseaux, les signes du vent, le langage des arbres, des écorces et des lichens, la survivance insensée et extraordinaire dans l'hiver hyperboréen. Il lui enseignera à chasser, trapper et pêcher, il couchera dehors avec elle, lui fera l'amour dans la forêt sur la mousse du printemps revenu, sur les feuilles roussies de la fin d'été, sur la plage solitaire où rit le loon. Remonter avec elle en canoë lacs et rivières, traverser les rapides, l'enlacer dans l'eau glacée des chutes. Il s'arrête.

Il sourit avec tristesse et a pitié enfin. À peine sortie de l'enfance, étonnée, l'air apeuré d'un jeune lapin immobilisé par des dangers imaginaires, Ariane ne saurait le suivre sur aucune piste. Elle n'a pas l'habitude, ni la force, ni l'endurance. Elle n'est pas de taille pour le pays. Oublier le songe insensé de l'avoir comme compagne dans ces forêts qu'il n'habite presque plus. Lui-même, quand il se compare à Bill, se sent amolli, amoindri par son travail de bureau, par la vie en ville qui demande si peu du corps. À peine s'il a la résistance nécessaire pour garder le rythme des longues courses. Chaque fois qu'il revient dans le bois, il lui faut retrouver l'ancienne façon d'être, de marcher, de voir, de respirer. Et c'est chaque fois un peu plus difficile. Comme s'il avait oublié la loi du Nord. Comment peut-il espérer entraîner Ariane avec lui? Sa jeune amante d'un soir retournera près d'Isa. N'est-ce pas plutôt lui-même qu'il a essayé de protéger en tenant, à bout de bras, l'étrangère de passage dont il prétendrait faire la femme de sa nouvelle vie. Il est accroché, pris au lacet dont le noeud pèse fragile à son cou.

Et Bill qui va rentrer! Il la surprendra seule, profondément endormie, l'air bienheureuse, gorgée de douce volupté. Ce sauvage serait capable de la toucher par inadvertance avec ses pattes malhabiles. D'un coup, sa confiance en son meilleur copain se fêle. Qu'a-t-il donc eu besoin d'aller bramer son bonheur à tous les échos? Il file vers la cabine.

Sous le cercle de corbeaux attentifs, le feu braisille

toujours. Le skidoo est là. La lumière à la fenêtre semble le narguer. Il se hâte vers la porte, s'immobilise, les yeux fixes, les mâchoires dures.

Au pied du lit d'Ariane, Bill est assis en tailleur, une tasse de café fumant à la main, son visage rougeaud, mal dégrossi, embroussaillé d'un sourire qui se fige aussitôt. Le petit homme gronde entre ses dents :

– Pis, d'où sors-tu comme ça? T'as rencontré le Sasquatch ou quoi?

– Et toi, qu'est-ce que tu célèbres ainsi en pleine nuit? Te voilà bien chummy tout d'un coup!

Gêné, Bill se lève gauchement, cherche un coin où se mettre.

Elle les regarde perplexe, appréhensive. Un courant de brutalité hostile passe entre les deux hommes.

Littlecrow remarque le tee-shirt à manches longues, bien fermé aux poignets et autour du cou, qu'elle a dû enfiler avant le retour de Bill et sent le ridicule de sa hargne subite contre son vieil ami. Il va vers elle, l'embrasse longuement. Rassurée, elle répond à son étreinte.

– Bon, ça suffit, grogne Bill d'un ton bourru, se dirigeant vers la porte laissée ouverte.

– Fais pas l'idiot, voyons! Ferme la porte et raconte-moi plutôt comment ça c'est terminé.

– Y s'en sont occupés à l'urgence, y vont le rafistoler comme il faut, mais il était temps.

– Et la route, pas de problème?

111

— Non, la jeep a démarré du premier coup. Au retour le noroît commençait à souffler pas mal. Ça ne me dit rien qui vaille. On serait peut-être mieux de repartir en forêt avant que la tempête s'en mêle.

— O.K., je t'accompagne demain matin.

— J'suis vanné, j'vas m'pieuter.

Tout habillé il s'enroule dans une couverture et leur tourne le dos. Peu après, des ronflements puissants montent dans la cabine. Littlecrow rejoint son amie en silence.

Après quelques heures de sommeil, les deux hommes s'éloignent à nouveau dans le bois pour une autre journée de trappe et de chasse.

Ariane a maintenant l'impression d'appartenir un peu plus à la terre étrangère; avec bonne humeur, elle accepte sa solitude. Prenant en charge la petite maison, elle est la maîtresse du foyer, restée à attendre le retour de son compagnon. Elle s'amuse à ranger la vaisselle, les vêtements, va jusqu'au torrent remplir les seaux puis rentre quelques rondins. Dans ses allées et venues, l'accompagne de branche en branche le vol d'un grand oiseau qu'elle a reconnu et salue.

Elle s'enhardit; elle part à skis explorer le lac plus avant, remonte la ligne des roseaux, traverse une zone de muskeg d'où émane une odeur de soufre et de marécage. Le temps est devenu grisailloux, un soleil pâle se faufile derrière les nuages. Vers le nord, le ciel, une barre sombre, menace. La poudrerie soulevée par une petite brise lui pique les joues. Elle se réfugie à l'abri de la forêt où elle pénètre avec confiance. Les skis laissent une piste facile à suivre pour revenir. Partout dans la neige, autour d'elle, des traces fraîches qu'elle cherche à identifier. Des marques fines de sabots, d'autres beaucoup plus grosses, plus enfoncées, probablement d'élans ou même d'orignaux. Une de ces bêtes légendaires, colossale et somptueuse, a dû traverser en aveugle le chemin qu'elle a défoncé. Au pied des arbres, des écureuils ou des souris peut-être ont dessiné de minuscules arabesques. Présences invisibles et silencieuses qui la rassurent.

Des flocons délicats, gracieux, voltigent dans l'air. La clarté s'amenuise alors que là-haut, près des cimes, le soleil disparaît complètement du ciel plombé. Prenant d'arbre en arbre, le vent s'enfle en douceur, balance les branches, incline la tête des sapins. Il l'atteint à peine dans le sentier, mais elle reçoit en riant des paquets de neige sur le dos.

Sous un seul coup de butoir, la forêt entière se prend à trembler, gémit, craque de tous ses bois rendus fragiles par le gel. Un jeune bouleau se casse net, s'abat au milieu du chemin. Le souffle violent emporte la forêt, secoue le sentier, la transperce de froid. Une immense épinette ploie à mi-corps, à quelques pas devant elle, et se redresse avec difficulté, les reins brisés; au sommet s'accroche un grand corbeau. Elle le regarde faire l'équilibriste, intriguée. Il se gonfle, étire ses ailes déchiquetées, racle une gorge enrouée, lance enfin dans les rafales son croassement éraillé qui roule et se répercute au loin. Suspendu au-dessus du vide, il répète avec insistance son cri d'alarme. Elle doit rebrousser chemin avant que la poudrerie n'efface les traces de ski. Il fait de plus en plus sombre. Elle se dépêche.

Sur le lac, ne rencontrant aucun obstacle, le vent a pris en diable, chasse la neige sèche et la jette en poignées de sable glacé à ses joues nues. Elle avait eu si chaud l'autre jour qu'elle s'est aventurée à la légère, sans cache-nez ni lunettes pour se protéger. Plus de trace à présent. La visibilité est presque nulle. Un nuage tourbillonnant la saisit, l'emprisonne, lui lamine le visage, l'aveugle, lui coupe le souffle. Elle accélère; son coeur lui bat aux tempes. Les paupières aux trois-quarts fermées sous la mitraille, elle essaye de retrouver son chemin par l'étroite fente de ses yeux brûlés. Elle cherche à longer le bord, mais les roseaux, eux aussi, se sont éclipsés, la laissant sans point de repère. Prise au centre d'une mouvance grise, glaciale, elle ne sait dans quelle direction se tourner. Elle risque de skier en rond ou, pire encore, d'aller se perdre vers le milieu du lac.

Tout d'un coup il lui semble que ses jambes sont devenues molles, sans ressort. Elle s'enfonce dans les ténèbres blanches, le front baissé, les yeux clos. Surgissent devant elle les histoires épeurantes des coureurs de bois disparus à jamais dans la tourmente, histoires qu'elle avait si bien savourées, il n'y a pas longtemps encore, et celles de ces fermiers dont parlait Louisa, perdus dans la poudrerie entre grange et maison, et morts gelés à deux pas de chez eux.

Ce serait trop bête quand même de s'égarer si près du but! La cabine ne peut pas être bien loin. Essayant de raisonner au milieu de ses frayeurs, elle pense à ce que feraient ses personnages préférés chez Curwood ou Jack London. Ils s'arrêteraient tout bonnement, construiraient un abri de neige et se pelotonneraient, sans impatience, dans la sécurité apaisante de l'igloo de fortune, en attendant la fin de la tempête. Facile à écrire dans un roman, mais elle est bien incapable de bâtir quoi que ce soit; de plus, la neige sableuse s'effrite dans sa main. Elle n'est pas assez chaudement vêtue; les extrémités de ses pieds et de ses doigts se racornissent, frigorifiées. Le vent lui lacère la peau, la nuit blanche l'éblouit. Elle skie à l'aveuglette, dérape, fait du surplace dans la nébuleuse en giration. Elle ne veut pas périr de froid comme ces chercheurs d'or abandonnés sur la route du Klondike.

Tendue par la volonté d'échapper au tournoiement incessant, elle continue d'avancer droit devant elle, luttant contre l'espèce d'engourdissement irréel qui l'envahit. Si seulement elle pouvait faire surgir du brouillard son amant, il l'emporterait sur son île de Thulé. Épuisée, désorientée, elle a envie de s'arrêter et de se laisser choir dans un lit de neige. Là, Littlecrow saurait la rejoindre et l'aimer jusqu'à la fin de l'hiver. Un sourire raide lui tire les lèvres. Avec lui, la tempête s'évanouira. S'installe un présent de bonheur, sans mémoire, sans avenir, qui dure. Bien à l'abri dans la chaleur apaisante des caresses retrouvées.

Un peu derrière elle sur la gauche, un appel rauque, répété, insistant, la sort de sa torpeur doucereuse. Elle se secoue et fait un demi-tour. Avec effort, traînant des jambes pesantes, elle se remet en route. Pendant une éternité elle avance, guidée par les cris du corbeau. À bout d'énergie, elle distingue enfin l'ombre de la masure battue de vent, à moitié ensevelie, au-dessus de laquelle l'attend l'oiseau noir toujours croassant. La porte bloquée par un amoncellement de neige refuse de s'ouvrir. Elle réussit à dégager l'entrée juste assez pour se glisser à l'intérieur.

Jamais elle n'a vécu ainsi aux limites de ses forces. Les éléments en furie l'ont vidée. Pantelante, elle est en nage, elle tremble de froid. Affalée sur une chaise, loque qui commence à fondre, une mare d'eau à ses pieds, elle offre un piteux spectacle. De violents coups de pelle contre la porte. Les deux hommes débloquent l'entrée. La journée a été fructueuse. Ils ramènent des peaux au poil lustré et épais, plusieurs visons et même un renard argenté. S'ébrouant, ils sont contents de leur course tonique à travers le blizzard. L'attaque furieuse du vent en fin d'après-midi les a vivifiés d'une joie sauvage, le corps à corps avec la nature les a exaltés. Ils ont fait bonne chasse. Ils ont faim et chaud.

Consternés, ils ne comprennent pas très bien ce qui lui est arrivé. Bill ranime le feu, Littlecrow la déchausse et lui masse doucement les pieds. Il l'aide à se sécher, à se changer. Bill apporte du café. Elle reprend forme humaine et leur explique enfin qu'elle a cru devenir aveugle. Sans l'appel du corbeau, elle n'aurait pas retrouvé la cabine et se serait égarée à jamais. Le pays cruel, impitoyable s'acharne contre elle.

— L'oiseau-frère vous a guidée, Ariane!

Le froid, la fatigue, l'angoisse s'estompent. C'est vrai, l'oiseau l'a sauvée de l'enfer de glace. Aurait-elle rencontré un corbeau-saint-bernard qui aide les voyageuses en détresse? Elle sourit.

– J'vas couper du bois, laissez pas le feu s'éteindre! Bill racle la porte derrière lui.

Littlecrow attrape dans ses bras Ariane qui se tend vers lui.

Quand Bill revient plus tard avec une grosse provision de bûches, Ariane, calmée, reposée, réchauffée, est en beauté. Ses seins pointent sous les fleurs de laine rouge.

Bill pousse une chaise, s'installe près du feu, leur tournant le dos.

Il supporte mal la fille des villes, craintive, chichiteuse, venue en intruse se mettre entre eux. Hier soir pourtant, quand il était rentré après avoir conduit le blessé à l'hôpital, elle l'avait accueilli gentiment, elle s'était même relevée pour lui servir du café. Elle voulait savoir comment ça se passe dans le bois et il s'était laissé aller à raconter.

Lui aussi était venu des vieux pays, y avait pas mal longtemps de ça. Il avait fui la misère de ses compagnons irlandais. Il était parti seul, s'était engagé sur un rafiot qui faisait l'Atlantique. Il avait d'abord passé un bon bout de temps au Québec, avec des coureurs de bois, de fameux gaillards, ceux-là. Vivant dans des camps, bûchant, dravant, il avait traversé d'un bout à l'autre les pays d'En-Haut. Peu à peu, il avait dérivé vers l'Ouest, jusqu'aux plaines à blé du Manitoba et de la Saskatchewan. Ça ne faisait pas son affaire. Ce qu'il voulait, c'était retrouver les forêts. Il était monté au nord de La Ronge où il avait partagé l'existence des Crees.

D'eux il avait tout appris : comment établir une ligne de trappe, tendre les pièges, les relever, dépecer les animaux, nettoyer les fourrures, remettre les pièges en état. Le piégeage, la trappe, c'était devenu sa vie. Il y a une dizaine d'années, il avait construit la cabane. Parce qu'il préférait être seul?

– Ben non, pas tout à fait. Quand j'ai eu ma part de misère en forêt, j'descends à la ville prendre un coup au bar. Et pis, il y a Cliff. Mais Cliff, c'est différent, y sait se taire et y n'a pas son pareil dans le bois.

Ariane avait posé des questions et lui, d'habitude taciturne, avait répondu.

– L'été? J'abandonne la cabane. À cause des touristes qui viennent du Sud, des États beaucoup. Ils organisent des gros partys de pêche sur le lac La Ronge avec des guides indiens. Ils envahissent tout. J'prends mon pack et un canoë, j'remonte le plus loin possible au nord.

C'était à peu près tout. Non, il n'était jamais retourné là-bas, dans son pays. Pas vraiment intéressé.

Elle avait écouté avec attention. Il ne comprend pas pourquoi il s'était mis à évoquer le passé, à parler ainsi après tant d'années à bougonner entre ses dents avec lui-même. Il vit trop seul. Mais cette gamine si proche le dérange. Elle le rend mou comme s'il avait besoin de tendresse. Très peu pour lui ce genre de niaiserie. Une envie de serrer le cou de la fille, comme il fait parfois pour achever les bêtes souffrantes, prises aux mâchoires de métal. Il jette un coup d'oeil derrière lui. Ils sont assis l'un contre l'autre en train de se confier des choses à voix basse, ils se câlinent, indifférents au reste du monde.

Vivement qu'ils s'en aillent ces deux-là! Il bourre le feu jusqu'à la gueule, la chaleur devient infernale. Décidément, il préfère sa tranquillité de coyote solitaire, sa vie âpre, libre de toute attache.

De retour vers la prairie, Cliff et Ariane font une courte pause à Prince-Albert, à ce même petit café minable où sont toujours attablés les vieux Indiens qui les saluent de sourires bienveillants comme d'anciennes connaissances.

Ils vont s'asseoir au fond, dans un box, à l'abri des regards. Ils sont l'un en face de l'autre, de chaque côté de la table en formica. Lentement, Ariane suit de la main le contour des joues creusées, s'arrête sur les pommettes hautes et saillantes, effleure d'une caresse les yeux trop brillants qui ne la lâchent plus.

— Je vous reverrai bientôt?

— Demain, je quitte la province pour me rendre dans l'Est du pays, mais venez donc près de moi.

Elle aussi le fixe, elle veut emporter le visage aimé, gravé dans son rêve.

— Ne partez pas! Je serai votre femme. De temps en

temps, nous monterons au Nord retrouver Bill dans sa cabine.

Elle se presse contre lui, il sent la chaleur de son corps contre le sien; il ne l'a pas encore perdue tout à fait. De sa bouche, il enferme les lèvres roses. Désir de la garder, de retourner enfin aux sources avec elle, de revenir parmi les siens avec elle. Il sait qu'ils l'accepteront, même si elle est blanche. Il imagine la chaleur de l'accueil par les siens, les rires, leur curiosité cordiale; mais a-t-il pensé à la misère du plein hiver dans la réserve? Les mauvaises cabanes sans eau courante, sans électricité, mal isolées, mal chauffées par un vieux poêle à bois; les petits qui toussent, les cris des chiens, la violence des hommes ivres : c'est impensable, il faut oublier le projet. Et puis, cette autre chose dont il ne lui a encore rien dit...

— C'est impossible, je ne suis pas libre. Il me faut regagner mon bureau dans l'Est, voyager au Québec, aux États, perdre ma vie dans les tours aveugles au coeur des cités.

Découragée, elle baisse la tête. L'amour déjà lui est arraché. Ces derniers mois, sans même qu'elle s'en soit rendu compte, l'espoir de l'homme brun l'avait portée. Elle en avait presque oublié Isa. Des mois de froid vide s'allongeront interminables dans la ville où elle sera délaissée. Son amour lié à la forêt et au lac gelé qu'elle abandonne eux aussi.

Il lui lève le menton, enfonce ses yeux noirs dans le regard clair, brouillé de gris.

– Rendez-vous à la cabine, Ariane, ma douce. Je serai du premier vol de corbeaux. Nous célébrerons ensemble l'arrivée du printemps au pays de Keewaydin.

Chapitre 13

Louisa arrive, les bras chargés. Tout en racontant les nouvelles de sa nombreuse parenté, rassemblée sur la ferme à l'occasion des fêtes, elle déballe les nombreux paquets que sa mère a préparés : cadeaux, gâteaux et sucreries, provisions d'oeufs et de pommes de terre pour aider les deux filles à traverser le creux de l'hiver.

Ariane la regarde faire sans rien dire et Louisa s'inquiète :

– Alors tes vacances dans le bois? Tu as l'air toute chose, comment est-il?

– Il est reparti dans l'Est, je ne sais trop où. Il ne me reste que le souvenir d'un feu sur la neige au-dessus duquel tournoient les grands rapaces.

– Tu le reverras?

– Il m'a donné rendez-vous au printemps, au retour des corbeaux.

– Quelle idée saugrenue!

Louisa se lance dans des histoires de famille à n'en plus finir, tante ceci, et oncle cela, ses frères aînés, joueurs de hockey acharnés, Maria, la petite dernière, trop choyée, et la flopée de cousins, cousines, nièces et autres. Ariane s'y perd. Pour elle, il n'y a qu'Isa. À la fin de sa dernière lettre, celle-ci avoue qu'elle se languit un peu. Ariane soupçonne pire, craint pour la santé de sa mère. Elle n'a pas oublié les yeux noirs enfoncés dans le mince visage tiré, ces quelques jours avant son départ.

Les cours ont repris. Elle s'absorbe, renoue amitié avec les étudiants, reposés, comme remis à neuf par leur séjour dans les familles éparpillées aux quatre coins de la province. Ceux qui habitent les fermes du Sud ont été heureux de retrouver les espaces de ciel et de neige. Dans la ville, ils se sentent confinés, à l'étroit. Peut-il vraiment exister immensités plus plates, plus vastes que cette plaine à perte d'haleine qui entoure la ville ouverte? Mal accoutumée à la démesure, Ariane n'en finit pas de s'étonner. Elle les fait parler et s'applique à écouter. Ils s'expriment avec plus de facilité et de confiance à présent. Pleins de bonne volonté, ils récitent tous plus ou moins le même chapelet des vacances. Ils décrivent le gros repas traditionnel autour de la dinde accompagnée de sauce aux airelles et de patates douces. Ils ont beaucoup fêté et n'ont pas eu le temps d'ouvrir un livre. Les parents, les amis à voir, le patinage, le curling, les parties de hockey....

– Et toi, Gilles es-tu content d'être rentré?

Il lui jette un coup d'oeil avant de répondre très vite :

– Pantoute, j'ai eu ben trop d'fun à la ferme avec la parenté. J'les avais manqués en masse. Et il ajoute moqueur : je peux continuer en *s'il vous plaît* et avec l'accent pointu, si vous préférez?

Au début, elle ne les suivait pas facilement, lui et les autres étudiants francophones; elle avait noté des tournures qui lui paraissaient bizarres et elle les avait corrigées, impitoyable. Sans conviction, ils répétaient, utilisaient la forme nouvelle en «bon» français qu'elle leur indiquait. Dès qu'ils sortaient de la salle de classe, elle avait vite remarqué qu'ils reprenaient leur façon habituelle de s'exprimer, quand ils ne passaient pas directement à l'anglais. Elle n'y comprenait rien.

– À quoi ça vous sert, alors?

– Mais pour te faire plaisir, c'est toi qui donnes les notes; on s'efforce de parler la façon que tu nous enseignes. Avec nos chums et la parenté, on s'ferait rire de nous, si on parlait de même.

Depuis, elle avait laissé tomber le zèle de celle qui croit posséder la vérité. Accrochée par un rythme différent, plus chantant que le sien, elle s'était faite attentive à leur façon de parler, à leur langage, agrammatical parfois, qui témoigne en même temps de l'exode et de l'enracinement. Elle aime l'alliance hétéroclite de français, d'anglais et de mots anciens, ancrés dans l'histoire, de cette langue menacée qui s'accroche pour survivre, tel un être humain attaché et arraché à sa terre.

Mais elle se demande si Gilles n'aurait pas raison, s'il ne serait pas vrai que sa langue à elle se soit raidie

125

dans le *s'il vous plaît.* Elle pense que, dans leur salon, Madame Delabare et Rosaline continuent de se plaindre *du* Saskatchewan, alors que, pour les gens d'ici, cette province – terre fertile, ventre à blé – ne peut être que féminine. Pourquoi donc s'entêter à enseigner un soi-disant *Parisian French* qui ne correspond à rien, quand il existe cette autre réalité francophone originale et vivante. Les subtilités du subjonctif imparfait et du passé surcomposé, les finasseries de l'accord des participes passés des verbes réfléchis, transitifs directs ou indirects, sont-elles vraiment nécessaires et à propos? Ariane commence même à se méfier de son accent, ne sonnerait-il pas faux, étranger, et peut-être prétentieux?

Gilles, volubile, décrit maintenant ses vacances en canayen, avec un certain plaisir, tandis que les camarades anglophones tendent l'oreille, médusés.

– Pis, c'est la même affaire, comme eux z'autres t'ont déjà dite. La veille de Noël, toute la gang on s'a rendu à la messe de minuit. Après ça, on a eu un gros party avec des tourtières et la sauce aux atokas, la tarte au sucre, les beignes, ben de la boésson, toute la patente quoi. Au petit matin, comme de raison, le monde s'ont échangé un paquet de cadeaux. J'sé pu quoi c'est dire de plusse, c'est toute alors.

Avec lui, avec eux, elle en est venue à mettre en question sa langue, à la voir de l'extérieur, complètement tournée à l'envers, peau en dedans, chairs à vif, mécanisme vivant entravé par des règles compliquées, illogiques, extravagantes, élaborées uniquement, lui semble-t-il, pour en compliquer l'apprentissage. Comment

126

alléger le fatras de codes sclérosés et paralysants? La plupart de ses compatriotes, vieux ou jeunes, sont probablement incapables, tout comme elle, de s'y reconnaître dans cet imbroglio savant.

Gilles a expliqué que ses grands-parents se sont exilés dans l'Ouest en quête de terres nouvelles, qu'ils ont fait la longue traversée des plaines en convoi de charrettes à boeufs. Ils venaient du Québec. C'est par là-bas aussi que doit voyager Littlecrow, à nouveau disparu, complètement volatilisé.

Elle s'attache. Après les cours de conversation, on se met à discuter pour de bon, à la cafétéria ou chez Louisa; souvent on parle anglais, pour aller plus vite, pour mieux se faire comprendre. Ne faisant aucun étalage, ses compagnons, au premier abord, lui avaient paru lourds, peu communicatifs, froids, peu accessibles. Elle les découvre autres : solides, authentiques, attachés à la réalité, ils agissent, ne disant pas plus qu'il n'est nécessaire, ne cherchant pas à l'épater. Habituée qu'elle était à l'esprit fantasque, mariol, hâbleur, des étudiants à la fac, elle apprécie le sens de responsabilité de ses nouveaux camarades.

Peu d'enfants gâtés parmi eux. Une maturité précoce face à la vie concrète. Ils n'ont pas vingt ans, pourtant ils ont déjà tous travaillé pour payer leurs études, gagner leur vie, sur la ferme à aider les parents, serveurs dans les cafés, restaurants, fast-foods. Ils passent l'été à défricher, à construire des routes, employés dans les parcs nationaux ou même sur des plates-formes de forage. À côté d'eux, elle fait figure de petite bourgeoise dorlotée, n'ayant jamais eu à contribuer un sou, soutenue jusqu'à cette année par des bourses et par sa famille.

À peine touchés par la vogue hippie, la plupart sont restés fidèles aux valeurs traditionnelles de la famille. Ils ne jouent pas à paraître. Ils s'acceptent simplement, sans aucun sens du ridicule, et ne s'embarrassent guère de vagues théories ou de rêves utopiques.

Elle sait qu'elle devrait se méfier de telles mises en cartes dont elle est friande, trop générales, fausses sans doute, mais elle se demande où ils puisent leur force tranquille, envie leur paisible ancrage dans le réel. En comparaison, elle flotte, emportée par le vent du hasard, comme le canoë d'écorce sur le lac du Nord. De temps à autre, prise de panique, elle tente d'arrêter le courant, de faire escale, de prendre contrôle. La vie passe sans elle. Là, en attente, saisie chaque matin de s'éveiller à un monde qui n'existait pas pour elle il y a à peine quelques mois, elle espère quelque chose d'essentiel; quoi exactement, elle l'ignore.

Plus fantaisiste que les autres, Rob cultive l'exotisme, aime parler voyages, escapades. Il la tente :

– Après les examens, je vous sors de la prairie. Nous partons «on the road» vers l'ouest pour commencer, jusqu'au Pacifique.

– Rien que le mot me fait chaud au coeur.

– Hum! L'île de Vancouver ne brûle pas exactement sous les palmiers et les orangers. La côte ouest est plus favorable au saumon, amateur d'eau froide, qu'à l'être humain! À moins bien sûr de descendre jusqu'au sud de la Californie...

Il s'emballe, ne peut plus freiner son élan.

– Mais oui, l'Amérique entière à explorer, réveillez-vous! Vancouver, les États, les Rocheuses qui se transforment en sierras, les canyons, les mesas, la pierre rouge du Colorado, de l'Arizona, du Nouveau-Mexique.

– Arrêtez, vous me donnez le vertige avec vos mots-mirages.

L'Amérique s'ouvre en vastitudes extraordinaires. Tout près d'elle, au sud, respire un continent gigantesque qui fait vibrer la planète de ses musiques battantes, de sa civilisation jeune et riche, enviée et décriée. Épinglée sur la plaine gelée, Ariane est aspirée au centre d'un maelström lancé vers l'avenir, tourbillon de vent, de pensées, de sang, de courants contradictoires. Sa terre lorraine s'éloigne, rapetisse, s'amenuise, arrêtée dans le temps, empêtrée dans les guerres, les cimetières et les croix.

Comment rejoindre Isa au jardin d'hélianthes, venus d'Amérique eux aussi et tournés obstinément vers le soleil? Comment lui écrire? Aura-t-elle deviné dans les blancs des lettres qui ont perdu leur transparence, la présence de Littlecrow. Ce n'est pas seulement l'homme, ce sont les racines du pays qui fraient leur chemin, s'accrochent en elle. Voilà qu'après avoir cru périr sur la piste maléfique, les yeux brûlés par le blizzard, elle est prise d'un puissant désir de forêt. Elle machine un plan pour y retourner un de ces longs week-ends.

Louisa a trouvé la suggestion peu sage. Qu'iraient-elles donc faire là-haut toutes les deux, seules? À Rob qui lui propose l'Amérique, elle suggère :

– À défaut de Californie, que diriez-vous de quelques jours dans le Nord? Je connais quelqu'un qui a une cabine au bord d'un lac.

– Vous ne voulez pas parler de l'espèce de sauvage que vous avez rencontré chez mon père?

– Non, non, c'est un trappeur; Bill, un vieil ours. Il serait content d'avoir un peu de compagnie.

Elle n'en est pas très certaine, tant pis.

– Pourquoi pas? Allons-y cette fin de semaine. Je tâcherai d'emprunter la super bagnole du paternel. Téléphonez quand même à votre ami pour le prévenir de notre arrivée. Ou plutôt, j'aimerais lui parler pour savoir où il gîte.

Évidemment, il n'y a pas de téléphone à la cabine. Impossible de le contacter. Impossible de se rendre jusque-là sans motoneige. Le long parcours à skis dans le bois, puis sur le lac. Ils se perdront à coup sûr. Mieux vaut arrêter de rêver en couleurs, comme dit Gilles.

– Il n'a pas le téléphone! Comment le rejoindre et où l'avez-vous dégoté?

– Comme ça, par hasard. En effet, ce n'est guère faisable, n'en parlons plus!

– Bon, laissons tomber votre Bill mystérieux. À la place je vous emmène faire du ski, pas très loin, à une heure de voiture. Allez, ne vous faites pas prier.

Une piste familiale, des enfants pataugent devant, des gens piétinent derrière. Elle a envie d'écouter le silence des arbres enneigés. Elle guette l'appel guttural du corbeau ami. Il a disparu lui aussi. Rob s'amuse. Une fois encore, elle voudrait surprendre le rire ironique et inquiétant du loon, ce grand oiseau archaïque, étincelant de lumière, dont le chant ne cesse de l'obséder. Mais les lacs ne bougent toujours pas sous la glace.

Dès février, elle se prend à chercher les signes avant-coureurs du printemps. La lumière s'allonge; des matins lumineux éclairent le froid. Sous le ciel d'un bleu sans nuage, les températures se stabilisent dans les moins vingt, puis remontent près du zéro; la neige s'affaisse, fond en petites rigoles.

Là-bas chez elle, dans le sous-bois, les bourgeons prêts à éclater, un espoir de feuille, une senteur humide et, sur la mousse, les premières violettes. Au bord de la rivière, piqués dans les herbages, les pâquerettes, l'or des boutons, les coquelicots diaphanes, éclatés de frais, sans un pli, de leur cocon tout chiffonné. Enfant, elle ramassait les fleurs des prés, goûtait les clochettes sucrées des coucous. Pendant ce temps, habillée en bohémienne, longue jupe vive sur ses hautes bottes, torsade de cheveux noirs sous le fichu rouge, Isa remplissait un panier de pissenlits, cueillait, au creux de la source, le cresson amer dont elle ferait des salades de jouvence.

Sur la prairie sans couleur, le plein hiver revient, encore plus cinglant, accompagné de bises féroces, de poudreries implacables chargées d'une neige fade, sèche et dure qui ne montre aucune velléité de disparaître. Elle n'a même plus la curiosité à présent d'explorer les rives monotones de la Saskatchewan immobile, lasse d'enfiler l'équipement de rigueur pour braver le froid. À quoi bon! Là-dessous, elle ne sent et ne voit rien. En mars, rien n'a changé sauf que, quelquefois, l'après-midi, le soleil fait fondre la croûte neigeuse qui se verglace pendant la nuit, rendant trottoirs et routes impraticables. Que cette plaine grise met donc du temps à sortir de sa gangue de tristesse!

Les oiseaux se taisent, la sève ne monte pas nourrir les feuilles, pelouses et jardins sommeillent inertes sous la neige. Elle a faim et soif de vert vif, de vert humide, d'une prairie fleurie de pluie, d'herbages tendres à pâturer, de collines feuillues, de vergers roses. Sur la plaine désolée, sans arrêt tombent sans bruit les fleurs de neige. Elle n'en peut plus d'attendre le retour des oiseaux.

Avec l'aide de quelques amis, Louisa a organisé une fête-surprise pour combattre la torpeur de l'hiver qui n'en finit pas de durer et les mine tous, visiblement.

Les parents de Rob ont ouvert leur domaine à la jeunesse. Les lieux ont complètement changé; le living-room est transformé en serre entourée de neige. Des plantes vivaces, des arbres, des fleurs partout, pots de primevères de jacinthes odoriférantes, vases flûtés où s'épanouissent jonquilles et tulipes multicolores venues des régions plus clémentes de Colombie britannique. Sur la table dressée au milieu de la vaste salle à manger, un buffet offre une abondance de salades pastel, fromages fondants, croissants, fruits des îles, pâtisseries généreuses faites à la maison, palette de couleurs et de mets savoureux qui redonnent goût à la vie.

On dévore avec entrain, on chante en choeur des airs folkloriques venus des vieux pays. La fête se continue tard dans la nuit, au tourbillon des danses carrées.

Invariablement Ariane se retrouve avec Rob, partenaire assidu. Il la suit encore des yeux quand il toupille à l'autre bout de la pièce. Il l'enlève pour la figure suivante, presse sa joue rose imberbe contre la sienne. L'amitié persistante du garçon blond, à laquelle elle s'est montrée indifférente, lui est bonne ce soir. Elle a froid d'un corps d'homme absent, d'un sourire heureux évanoui dans la tempête. Elle se laisse emporter, à bout de solitude.

La musique devient langoureuse. Rob enlace la jeune fille enfin consentante et Ariane demande à brûle-pourpoint :

— Quand est-ce que les corbeaux reviennent par ici?

Insolite, la question brise absurdement le rythme tendre de leur danse. Quelle fille bizarre! Elle lui glisse sans cesse entre les doigts. Il ne tient qu'une écorce vidée de sève; il jette avec quelque mauvaise humeur :

— Les corbeaux? Je n'en sais rien, des charognards, qu'importe s'ils ne reviennent jamais!

Il ferme à demi les yeux, bercé par la musique, mais Ariane s'est raidie entre ses bras. À croire que les corbeaux se sont mis entre eux. Il les soupçonne de quelque maléfice lié à cette fille aux yeux transparents. Le regard indifférent, elle a l'air de poursuivre, au-delà, un visage, un horizon qu'il ne peut apercevoir. Auprès d'elle, il a beaucoup appris; avec patience elle explique, l'encourage. En dehors de l'aspect professionnel, elle parle peu, reste secrète, observe, mais ne se livre pas. Dès qu'il s'essaye sur la voie des confidences, elle le fixe sans le voir. Une ou deux fois, il s'est même retourné brusquement pour surprendre celui qu'elle semble attendre. C'est exaspérant, elle doit l'utiliser pour passer le temps.

La fête se termine. Ariane hésite encore à partir. Jusqu'au dernier instant, elle a cru au miracle, que le grand homme brun allait de nouveau surgir derrière elle, qu'elle reprendrait enfin pied sur la plaine neigeuse; sans lui, elle n'est qu'une étrangère enfermée dans le rêve d'un amour impossible. N'importe qui d'autre aurait donné signe de vie. Montréal ou les États-Unis, ce n'est pas la fin du monde après tout. Il apparaît, disparaît, lui fixe un improbable rendez-vous au bout de la nuit. Depuis ce temps-là, elle guette l'ombre des oiseaux noirs au-dessus de la ville.

Chapitre 14

Du fond de quelque repaire, la voix sourde de Bill au téléphone :

– J'descends en ville; passerai vous prendre le weekend prochain, O.K.?

– Littlecrow est-il avec vous?

Pas de réponse, la communication a été coupée brusquement.

Elle s'observe. Le miroir lui renvoie le reflet de son visage pâle et des yeux sans éclat. La longue saison morte lui a volé ses couleurs. Elle a besoin de se refaire le sang à une source vive.

Ce vendredi matin, perché sur l'orme nu, l'oiseau noir lance des cris perçants. La neige fond, découvrant un peu de pelouse jaunâtre. Sous la ville blanche, la terre est en lente gestation. Le monde autour d'elle renaissait en sourdine tandis qu'elle était restée en hiver.

Cercle solide et définitif dans la chaleur de l'amour redonné. Son premier printemps, lovée dans les bras amis noués autour de ses épaules. Printemps initiation à la cabine, sur le lac encore à demi gelé, au bord de la forêt toujours enneigée. Il lui apprend les saisons de son pays.

Ils avancent avec précaution sur le lac. La glace à vif, mangée, mitée par endroits, vire au vert bleuté, la glace amincie craque sous leur poids, il devient dangereux de s'y aventurer.

En plein midi, ils découvrent une oasis dans la courbe d'une baie de soleil où montent les gerbes de bouleaux en minces bouquets blancs. Au-delà des arbres, la cascade glaciale du vent du nord. Mais, sur la bonne couche de feuilles déjà sèches, c'est presque l'été. Assis, allongés auprès de jeunes pousses de sapin, confondus à la terre ensoleillée, ils laissent tourner, beaucoup plus haut au-dessus d'eux, le fouillis de brindilles, les fines zébrures mauves des bouleaux à côté de la couronne nette et dure des trembles. Au bout de chaque ramille perce une petite pointe d'argent brillante. Un soupçon de vie, l'espérance verte tenue dans les bourgeons au parfum âcre, dressés sur le bleu profond du ciel. Très loin, le vol d'un aigle noir à tête chauve, il est en chasse, plane, décrit de larges cercles, repère sa proie.

Ils s'éveillent, se secouent, repartent sans hâte. Des corbeaux impatients s'affairent à construire les nids géants. Le noroît brasse les cimes, les accompagne de sa voix de basse. Au centre du bois grince, se plaint un peuplier, épaulé à une forte épinette qui le retient de s'effondrer. La neige tiède, lourde, collante s'enfonce sur le chemin à senteur de miel noir et de terreau humide.

Pénétrés de rayons, les troncs lisses des bouleaux rosissent d'aise, épicéas et pins basalmiques s'étirent et odorent. Ariane absorbe la chaleur, plisse les yeux. Sous la paume rude du vent, les arbres reprennent vigueur; sous la peau rugueuse, la sève commence à couler.

Dans un coin au nord, sur la glace encore épaisse, Littlecrow a allumé avec des brindilles un feu qu'il alimente maintenant de branches sèches. Près des braises, il apporte deux pierres plates sur lesquelles il pose des filets de perche qu'il fait griller. La chair délicate a un goût de résine. Il va chercher à la cabine un flacon et s'abreuve d'eau-de-vie brûlante.

Il nourrit le feu, les flammes s'épanouissent en gerbes ardentes. Lentement, il fait bouger chaque muscle de son corps, s'étire, se tend, le dos cambré, son fin profil dressé vers les flammes. Le bois crépite, jette un vol d'étincelles. Doucement, il se met à tourner sur place, attentif à un mystérieux tempo intérieur, accélère le rythme qu'il accompagne d'un chant de gorge aux accents rauques et roulés. Il se tourne vers Ariane, l'enlève, se lance autour du brasier en une sarabande effrénée. Elle suit l'homme, toujours plus vite, plus fort, le battement de la danse rituelle et du sang. Les yeux et les cheveux brillants noirs au reflet du feu, l'être mythique, mi-homme, mi-oiseau, scande son chant envoûtant, la jeune fille contre lui. Ils dansent, unis, embrassés, à perte de souffle, jusqu'à ce que la douceur blonde des roses du soir sur les écorces claires s'éteigne tout à fait, cède la place à la nuit étoilée et que les flammes se meurent.

Avec un peu de cendre, il trace une marque sur le front d'Ariane :

— Sous le signe du feu et de l'ombre, tu es à moi, tu es la femme de Littlecrow.

Le cercle de braises peu à peu disparaît dans la glace. Il emporte Ariane à la cabine sur la couchette étroite qu'il a couverte d'une peau de loup. L'amour profondément doux de l'homme brun envahit Ariane et lui donne vie.

Sans bruit, main dans la main, ils marchent le long du lac, dans la fraîcheur éclairée de lune. Gêné, regardant droit devant lui, il commence à parler :

— Ariane, vous m'avez ensorcelé. Oubliez ces simagrées, c'était du cinéma, pour vous impressionner…

Elle qui s'était crue, un instant, l'héroïne de quelque rite magique et sacré, se trouve déçue et soulagée à la fois. L'homme possédé l'inquiétait et la ravissait. Mais celui-là, qui est-il donc?

— Je vous l'ai dit, j'ai oublié ma langue, perdu mes traditions, ma culture, ma famille. Sous ma peau bronzée de Cree j'ai le coeur blanc. Un Grey Owl à l'envers voilà ce que je suis devenu!

Il explique à Ariane l'histoire de cet Anglais de dixsept ans qui s'est peu à peu transformé en véritable Indien, adopté par une tribu d'Ojibways qui le surnommèrent Wa-Sha-Quon-Asin, Celui-qui-marchela-nuit, ou Grey Owl. Chasseur, trappeur, toujours sur la trail, il avait parcouru en raquettes et en canoë la région septentrionale, de la baie d'Hudson jusqu'au nord de la Saskatchewan, pour finalement s'établir pas très loin d'ici, au bord du lac Ajawaan. Un Blanc qui s'habillait, se coiffait, vivait comme un Indien.

– Moi, malheureusement, par la force des choses, j'ai fait le chemin inverse, je me suis acculturé à la façon des Blancs. Dans la cité, je travaille, muré dans des tours de ciment, de verre ou de métal. De temps en temps, chaque saison, je m'échappe jusqu'à la cabine de Bill, pour reprendre contact avec la forêt et aussi avec les miens. C'est peu.

– Pourquoi ne restez-vous pas dans les bois?

Elle se rappelle sa déception, le premier soir à la cabine et se tait.

– Ridicule pour moi de jouer à l'Indien comme un touriste en mal d'exotisme. C'est fini. Les touristes! Ça débarque, les dimanches d'été, avec des équipements d'explorateur. Sur les sentiers, ils font tout un tintamarre à cause des ours dont ils ont tellement peur et ils passent sans rien voir. À quelques pas de là, les animaux cachés, invisibles dans la pénombre, les regardent défiler, babines relevées, méfiants, fronçant le museau, dégoûtés par la fade odeur humaine.

Il accélère le pas, son profil d'oiseau du froid coupant le noir. Il marche à grandes enjambées; c'est à peine s'il l'attend. Il parle à la nuit, pour lui-même :

– Et les autres, les mordus du bois, ceux qui s'acharnent contre les arbres, ceux qui viennent en famille fouailler la forêt, la transformer en allées de ciment...

– J'imaginais la région partout silencieuse et inhabitée comme ici.

– Là-bas, un peu plus au sud, autour des lacs saccagés, ils ont élevé d'énormes demeures prétentieuses à portique, garage double, pelouses artificielles semées de flamants roses. Partez Ariane, partez avant de voir le désastre!

– Après la neige pourtant, l'éclosion de juillet sur le lac?

– Ces fanatiques y lancent des hors-bord à pleine furie; sur leur sillage, c'est le vide. Canards, grèbes, outardes n'ont plus de refuge. Le loon s'éloigne toujours plus au nord, pourchassé partout, et ses petits ne parviennent pas à maturité.

Elle le suit, surprise par le flot de paroles. Elle craint d'avoir un peu confondu l'homme avec le pays du froid, pays qu'elle avait appris à aimer dans les livres avant de le connaître. Il continue sans la voir.

– Oui, il aurait fallu savoir être différent, décrocher le téléphone et les gens harassants, descendre de la tour, fuir les journées au néon et les nuits sans ténèbres. Pour retrouver mon âme. Dans le bois, je redeviens Littlecrow, l'oiseau porté par le vent à travers les espaces. La ville me casse les ailes.

Soudain, il ralentit, saisit Ariane aux épaules, lui parle à voix basse avec une colère à peine contenue :

– Quand vous me l'avez demandé, je n'ai pas pu vous raconter la pauvre histoire de mon peuple dépossédé, décimé par la tuberculose, la misère, l'ennui, la famine. Vous citer les statistiques, les records de mortalité infantile, d'alcoolisme, de violence. J'avais mal pour mon peuple. Ariane, avez-vous vu à Prince-Albert le visage perdu de mon frère? C'était lui le gardien du Nord. Il a été trompé, chassé, pourchassé, parqué. Aujourd'hui, il survit de mendicité, fait la queue aux soupes populaires et aux auberges de l'amitié. Mon frère fier, superbe et rapide comme l'oiseau, crucifié par une civilisation où il n'a pas sa place.

Rompu par les mots amers qu'il n'a su retenir, toute agressivité tombée, il s'est arrêté et la regarde tristement.

– Et moi, je vis en homme blanc, indifférent aux miens. Mes racines m'ont lâché.

Ils retournent à la cabine. Il commence à faire froid.

– Je ne connais pas l'histoire de votre peuple mais j'apprendrai.

Il la retient étroitement contre lui. La garder, la façonner à sa guise, ce besoin lancinant de retourner parmi les siens avec elle, de revenir à la souche avec elle. Demain, à la lumière, ils parleront d'avenir, ne plus la perdre surtout.

Adossée contre l'écorce poudreuse d'un bouleau, assise sur les feuilles sèches dans un pan de soleil, Ariane attire avec des graines un petit écureuil roux, à peine sorti de son trou, ahuri par l'air vif du printemps. Gourmand, il s'approche de la main tendue, sur le qui-vive, il recule effrayé, revient en hâte, happe l'amande et l'emporte à cent milles à l'heure au sommet d'une épinette. Alerté par ce remue-ménage, un geai gris s'abat en piaillant près d'Ariane et réclame sa part. Elle lui jette une poignée de graines. Ballet aérien entre l'écureuil et l'oiseau; c'est à qui mangera et volera le plus vite possible.

Une autre journée radieuse enveloppe le lac. La dernière. Demain, elle rentre en ville, ils iront chacun de leur côté, abandonnant l'autre. Elle ne peut rester. Miss MacNeill, dévouée à sa profession, jusqu'à la moelle sèche de ses vieux os, ne pardonnerait pas le moindre manquement au devoir.

Mais après, tout devient possible. Elle a à peine entamé sa jeunesse. Elle a le choix, une avenue large, libre, ouverte sur tant d'années à vivre. L'avenue conduit irrémédiablement à un champ de tournesols qui inclinent leur face ronde vers elle. Dans le champ, près de la terre, une femme courbée dont la chevelure noire se grisaille. De temps en temps, elle lève son beau visage lisse pour guetter le retour de l'enfant. Derrière sa fille, elle devine une ribambelle de petits sur lesquels elle s'apprête déjà à déverser son trop-plein d'affection. Dans la maison abandonnée, elle n'a plus personne à choyer. Sa fille rentre bientôt, elles n'auront pas assez de l'été pour se raconter au fil des jours, recouvrer enfin l'appétit, les rires, les couleurs.

Ariane ne saurait la rejoindre, prise dans les glaces de l'éternel hiver qui garde son coeur. L'homme-oiseau lui ouvre grand les bras et l'emporte dans l'île très loin au Nord où il n'y a pas de touristes, dans son pays de lacs et de neige, à la recherche de ses racines. Elle est son désir, il est son avenir.

Le visage amaigri de la vieille femme se tisse de rides. Isa dépérit; elle appelle à voix basse l'enfant pour guérir le creux dans sa poitrine. Elle n'a plus la force de crier le nom de son enfant. Elle ferme les yeux.

Ariane a entendu son nom murmuré par le vent du sud, venu fondre la croûte de gel et délivrer le lac. Elle est partie.

– Ariane, que faites-vous effondrée dans la neige? Vous avez l'air si grave, que vous est-il arrivé?

Il la relève, la ramène près de lui.

– Restez avec moi, nous créerons une vie nouvelle. Nous sommes faits l'un pour l'autre. Votre fragilité sera ma force.

Ils parleront la langue des arbres et des écureuils, des blizzards et des aurores boréales, du loon et du corbeau. Le noir et l'or confondus dans le rouge de l'amour. Pour eux la musique du vent en tourmente sur le lac figé, le doux silence de la première neige en légers flocons de mousse, pour eux la déchirure de la banquise au printemps.

Ils monteront loin, là où les humains ordinaires n'ont pas accès. Au sommet du monde ils fonderont une lignée, le blond et le brun à jamais liés à la naissance du jour.

– Venez, ma douce, vivre sans bruit, vivre en une seule journée tous les possibles. Je vous aimerai jusqu'à l'aube. Je veux vous donner mon sang noir et goûter votre regard givré de bleu.

La plainte d'Isa, le chant de l'Indien, la même voix de l'amour jamais comblé.

– Ariane, la femme à qui je suis marié depuis des siècles ne m'est plus rien. Nous avons cessé de nous entendre. Elle n'a pas supporté quelqu'un de différent, que certains croyaient bon de mépriser parce que dissemblable. C'était trop pour elle. Son coeur ne m'a jamais adopté entièrement. J'ai fui son sourire rigide et maquillé de robot qui fonctionne avec un rendement impeccable.

Ce soir-là où j'ai rencontré votre regard clair, j'ai désiré recommencer ma vie avec vous. Vous étiez si jeune, vous m'avez paru, dans ce train, si vulnérable et entière, j'ai eu peur de vous faire mal, peur aussi de me faire déchirer encore une fois. Je tenais à vous expliquer mes longues absences, mes silences. Je remettais toujours à plus tard. Je n'étais pas libre, je ne le suis pas encore tout à fait. J'aurais dû vous dire cela il y a longtemps. Je craignais de vous perdre. Je préférais garder mes distances, conserver l'espoir de votre amitié. Ariane, parlez-moi!

Il la tient contre lui, la secoue, les yeux un peu fous.

Elle baisse la tête, n'ose pas le regarder.

– Ma mère a besoin de moi. Je dois retourner la voir.

– Non, restez! Nous ferons venir Isa, nous l'emmè-
nerons, elle vivra avec nous, elle s'occupera de nos enfants.

– Isa est malade, si vous pouvez m'attendre, je re-
viendrai.

Elle a l'impression de mentir pour endormir un
enfant malheureux. Le grand chef est mort.

Chapitre 15

Échange d'adresses inutiles, promesses de se revoir qui ne seront pas tenues. Ariane fait une tournée d'adieux. Un dernier café lavasse à la cafétéria avec quelques camarades. Ils sont partis, confiants en leur destin, la laissant seule avec Rob.

À force, il s'est imposé en compagnon attitré et elle s'est habituée à l'avoir près d'elle. Il s'arrangeait pour rester après les autres, il avait encore des questions à poser, un point à éclaircir, une discussion à poursuivre. Souvent, il vient terminer la soirée chez Louisa ou ils sortent ensemble au bar, au cinéma, faire une marche au bord de la rivière.

C'est à peine si elle a remarqué la place que Rob a prise et occupe maintenant mais elle apprécie sa constance. Il la distrait, remplit le vide. Surtout, elle est fière de lui, l'élève prodige. Appliqué, intelligent, mémoire d'éléphant, il assimile vite et bien. En septembre, il manipulait des morceaux de phrases toutes faites, apprises par coeur, qui ne collaient pas toujours ensemble. Elle déchiffrait le puzzle mal reconstitué. Aujourd'hui, il tient conversation sans difficulté, s'aventure avec adresse à utiliser l'argot. Elle aurait envie de l'exhiber en témoignage de ses talents à elle. C'est vrai que les autres s'expriment beaucoup moins facilement. Rob la rassure; il est la preuve parlante qu'elle pourra peut-être un jour gagner sa vie comme enseignante. Pourquoi pas? Son père aurait eu raison finalement. Elle ne se fait pas d'illusions, elle sait bien que Rob doit ses immenses progrès à lui-même, à une façon habile et tenace de s'attacher à elle. Parfois, fatiguée de le gaver d'expressions idiomatiques ou de langue verte, elle se met à parler anglais.

Ce soir, elle le dévisage. Il n'aime pas la manie qu'elle a de le traverser sans le voir, de porter des yeux absents au-delà. Elle est revenue, abattue, d'une escapade dans le Nord.

Il se risque à se mêler de ce qui ne le regarde pas :

– Laissez donc tomber ce pauvre type, il ne peut que vous causer des problèmes.

– Ce pauvre type? Elle ne paraît pas surprise, ni fâchée, plutôt soulagée qu'il ait mentionné l'autre, l'homme qui l'habite.

– Oui, Louisa m'en a glissé un mot. Vous vous souvenez, la surprise-partie chez mes parents? Elle m'avait téléphoné et expliqué plus ou moins. Tout finit par se colporter; entre copains, c'est pire qu'un village. Voilà, j'ai mené ma petite enquête auprès du paternel.

Impatiente, elle interroge :

– Alors? Qu'est-ce qu'il pense votre père?

– Pas fameux. Orphelin, ce type a été élevé par des gens très corrects. Il les a complètement rejetés, il les a envoyés sur les roses. Maintenant, il s'occuperait, paraît-il, d'affaires plus ou moins véreuses, dans l'Est, à Montréal. Il a une femme là-bas, une Blanche, des enfants peut-être. Un mariage qui cloche; alors il se pointe par ici de temps à autre.

– Il m'a raconté à peu près tout cela.

– Qu'espérez-vous de lui?

– Je n'espère rien, je l'aime, c'est tout.

– Vous l'aimez? Qu'est-ce que ça veut dire?

Rob paraît sceptique. Le visage d'Ariane s'éclaire.

– Ça veut dire – elle hésite – que j'aime être avec lui dans sa forêt du Nord et puis, je ne sais pas...

– Ariane, cet homme est marié et il a l'âge d'être votre père.

– C'est plutôt vous qui moralisez, comme si vous étiez mon père!

– Vous me faites me sentir vieux tout d'un coup, mais réfléchissez : quelle sorte de vie pourrait-il vous offrir?

– Il pense à rejoindre sa vraie famille, à retourner

vivre au Nord, dans une réserve, et à m'emmener avec lui.

– Ma parole! il est complètement paumé! Vous, sur une réserve! Vous voulez être violée, assassinée!

– Non, pas encore cette rengaine, ça ne marche plus, vous gaspillez votre temps. J'aurais dû accepter, j'aurais dû rester là-haut avec lui, j'ai manqué de courage. Je lui ai dit que ma mère était malade, qu'il me fallait rentrer chez moi au plus vite. Sur le moment, j'en étais convaincue moi-même. Je l'ai perdu.

– Bien joué, Ariane, bien joué. Il n'en valait pas la peine.

– Un espèce de sauvage, m'avez-vous dit un jour; pourquoi le méprisez-vous a priori?

– Ne vous montez pas la tête! C'est pas du monde comme vous et moi. Même si vous étiez laide, je vous répéterais que c'est folie de vous engager avec lui. Il finirait par vous plaquer dans le bush pour une femme de sa race. Vous ne vous rendez pas compte, vous installer sur une réserve, vous? C'est insensé! Rob s'agite, rit nerveusement.

– Littlecrow me fascine. Par lui, j'ai commencé à deviner, à approcher un monde qui m'était inaccessible. Avec lui, je réussirais peut-être enfin à atteindre ce que je cherche d'essentiel et que je ne peux nommer, qui m'attire depuis l'enfance vers les régions de soleil et de neige.

– Laissez faire ce prêchi-prêcha romantique d'une autre époque! Il joue à l'Indien qu'il a été, qu'il n'est plus malgré sa prestance de chef. Méfiez-vous, prenez garde qu'il ne vous entraîne dans une schizophrénie dangereuse. D'ailleurs, croyez-vous que sa vraie famille veuille encore de lui? Qui vous dit qu'ils ne le considèrent pas comme un traître, un déserteur?

Des mots durs, sans appel. Elle lui en veut. Littlecrow avait dit : un Cree au coeur blanc à la recherche de son âme... Elle ignore encore tout de sa culture, de ses origines. Elle n'a aucun passé sur ce sol, ni l'imagination à la mesure du pays. Mais elle croit, qu'au-delà des mots, sous l'écorce, les coeurs battent tous de la même couleur. Longtemps, elle garde le silence.

– J'ai abandonné près du lac là-haut la moitié de mon coeur. Comment continuer à vivre, ainsi amputée?

– Rien de plus facile, je vous prêterai la moitié du mien! En fait, sérieusement, je voulais vous annoncer la nouvelle des nouvelles, et vous avez intérêt à sauter de joie.

– Qu'est-ce que vous gardez encore comme tour dans votre sac?

– Tenez-vous bien, début septembre, je débarque à Paris, vous entendez. Je vais me perfectionner dans votre langue et, en même temps, m'initier à vos moeurs exotiques; extraordinaire, n'est-ce pas? Toute cachottière que vous soyez, vous avez laissé échapper que vous créchiez dans un trou perdu au fond de la France continentale.

J'irai vous y dénicher, je vous le promets.

Ariane doucement s'est éloignée, quelque part où il ne saurait l'atteindre. En face d'elle, Littlecrow, beaucoup plus jeune, à l'aurore de sa vie, libre d'aller où bon lui semble. Cela ne changerait pas grand-chose. Attaché à son coin de terre, il n'a montré aucune curiosité d'un ailleurs. Les ailleurs lui sont indifférents. Il désire la modeler selon son coeur à lui et la transplanter dans sa forêt. Silencieux, il guidait; elle suivait docile jusqu'au moment où il a montré la fêlure dans sa force qu'elle avait crue intacte. Il lui a ouvert son désarroi et elle a fui.

Rob guette une réaction qui ne vient pas; il s'impatiente, déçu :

– Vous ne dites rien?

Ce gamin doué, elle ne parviendra jamais tout à fait à le prendre au sérieux. Il lui emboîte le pas, faisant mine de s'intéresser à elle. C'est la volonté d'apprendre qui le guide. Derrière sa sollicitude, les plaisanteries faciles, son franc-parler étudié, la désinvolture, elle soupçonne un bûcheur, déterminé à réussir. Il possède la force, la ténacité et l'assurance tranquille des privilégiés à qui tout est permis. Tout lui deviendra possible.

Elle l'imagine s'intégrant à une société différente, bientôt plus à l'aise qu'elle parmi les gens, mieux accepté probablement. À quoi bon donner suite à cette amitié au-delà? Autant couper les ponts. Elle ne va pas le décourager, sous prétexte qu'elle souhaiterait qu'il fût un autre! De toute façon, il n'est pas homme à se démonter facilement. Elle s'enthousiasme avec modération :

– Formidable! Vous avez de la veine, mais vous le méritez.

Satisfait, Rob lui expose ses projets d'avenir :

– J'ai l'intention de me spécialiser en études internationales et j'ai besoin du français. Je me débrouille à peu près à présent mais je vise à progresser bien davantage. Avec vous à mes côtés pour me piloter, nous irons loin ensemble.

Le «nous» la fait tiquer. Il tient pour acquis qu'elle continuera à être à sa disposition. Comment lui faire entendre qu'elle peut se passer de sa compagnie? Elle ne veut pas de lui dans l'intimité de la maison blanche. Le dévouement d'Isa est sans limite, pas question de la partager. Isa serait capable de s'enticher du grand blondinet, de le recevoir, de le gâter comme un fils. Collant, envahissant, certain qu'Ariane n'aura rien de plus important à faire que de s'occuper de lui.

Exalté, Rob monologue à haute voix. Il élabore avec soin les détails de son prochain séjour. Elle l'approuve de la tête, distraite.

Qu'aura-t-elle donc de mieux à faire en rentrant? Quelques années d'études pour entendre finalement les portes grises d'un ancien lycée de province se rabattre derrière elle. Elle reprendra l'enfance, de l'autre côté de la rampe, sur l'estrade, enseignante sévère qui force des bribes de connaissance à pénétrer dans les cerveaux rebelles d'adolescents agités, nerveux, attirés par des divertissements plus passionnants au-dehors.

À défaut, être assise au long des jours, dans un bureau quelconque, de neuf à cinq. User les heures libres à tenir foyer, – maison, vaisselle, ménage, centres d'achats –, vacances sans passion à brûler en famille sur une plage bondée, avec juste un rectangle de sable où dérouler sa serviette de bain. À quoi donc les humains perdent-ils le peu de temps qui leur est alloué?

Rob, lui, s'arrange pour planifier des années à l'avance. Cédant peu de place au hasard, il prépare, prévoit et marche en ligne droite. Il trouvera exactement la femme moyenne et sage qui lui convient, ils engendreront un nombre calculé et raisonnable d'enfants, achèteront la demeure adéquate pour abriter tout ce monde et mener une vie sociale bien huilée, recevant et étant reçus à parts égales par des gens convenables, sans problème, monocordes.

Elle ne veut s'installer dans aucune maison bourgeoise, aucune profession stable, aucune union respectable. Il lui est urgent de marcher à côté de Littlecrow, de l'aimer sans parole, sans poser de question. Que lui importe qu'il ait une femme puisqu'il est détaché d'elle. Ensemble, ils auront peu de besoins. Une cabine de rondins pour les gros froids. La majeure partie de l'année, nomades dans le bois et sur les lacs. Elle apprendra à dompter ses craintes. Elle vivra le mythe d'un territoire ouvert à l'espace, à la liberté, à l'espoir d'un monde nouveau en symbiose avec les éléments. Il ne lui est plus possible de renoncer aux promesses d'une certaine Amérique.

Les jambes lui démangent. Elle est prête à partir sur l'étroit sentier inégal. En ville, le printemps a soudain pris des airs d'été. Elle n'a pas encore touché le velours des chatons de saule aperçus au bord de la rivière, ni surpris le dépliement secret des premières feuilles de tremble dans leur verte ferveur. Elle a entendu dans les ormes de l'avenue les chants bariolés des nouveaux arrivants dont elle ignore les noms. Là-haut, l'eau doit sourdre sous la croûte ternie du lac, enfin dégagé, et les grands corbeaux se démener autour des nids en vastes corbeilles tressées.

Douceur tranquille et bienfaisante, tiédeur du lit de feuilles où elle a dormi dans ses bras. L'été ne sera qu'une immense journée traversée de soleil dont il ne faut pas perdre un seul rayon quand on sait la menace sombre du gel. Près de lui, elle restera attentive à l'arbre, au vent, à l'oiseau.

Rob et les autres font tant de tapage, marchent en contemplant le bout de leurs pieds, n'écoutent que leur bavardage, s'absorbent en dedans. Ils vont sans palper l'écorce pour en connaître le grain, indifférents aux parfums de la prairie en renaissance.

Littlecrow possède la science, la sagesse et le bonheur des saisons. Lui et Isa, tendres, puissants et noirs, accordés aux pulsations de la terre. Isa, sa mère, sa soeur et sa meilleure amie; Littlecrow, l'amant et le père. Étrange famille où les deux seuls participants jouent tous les rôles à des milliers de milles l'un de l'autre. Il appartient à la forêt boréale, Isa ne s'éloigne guère de son jardin. Très peu pour eux, les voyages à saute-mouton sur les continents.

Elle entend vaguement Rob qui continue de planifier tout seul les vacances de l'année prochaine :

– Ariane, m'accompagnez-vous à travers l'Europe, de la Scandinavie jusqu'au Péloponnèse? Passez-moi votre numéro de téléphone, je vous appelle dès que j'atterris.

– Je n'en ai pas.

– Vous voulez rire! À notre époque, pas de téléphone! Et vous à l'autre bout du monde! Vos pauvres parents ont dû se ronger les sangs.

Non, Isa a enfoui sous une couche d'humus les semis de fleurs et de fruits. Baignée des premières lumières qui effilent le brouillard matinal dans la vallée, elle surveille la percée des plantes minuscules. Son plus beau jardin sera fin prêt pour le retour de sa fille. Elle a retrouvé ses couleurs de santé, éclat sombre de l'épaisse chevelure lustrée et des yeux brillants. Il fera bon glisser son bras sous le sien pour explorer à nouveau, collée contre elle, la magie du domaine aux mille nuances.

Ariane ne se décide pas à remplir la malle d'osier. Les livres traînent sur le bureau, le gros chandail à fleurs de laine rouge qui n'a servi que dans la cabane, près du lac gelé, reste sur l'étagère. Elle a attrapé le mal du Nord, mal d'une présence silencieuse au centre de la vaste forêt bleutée de neige.

– Nous devons passer chez les Delabare prendre un verre; ils tiennent absolument à te dire au revoir.

Elle n'a guère le goût de se prêter aux jeux de salon; elle ne respire pas à l'aise dans les meubles d'époque. Les soucis de maquillage et de fanfreluches de Madame Delabare se confondent en un bourdonnement poli et plaintif.

– Tu crois? Ils m'achalent ceux-là, *how boring!*

Louisa ne comprend pas qu'elle trouve insupportables des gens si comme il faut et qui s'expriment si bien.

– Pas comme toi, en tout cas! De plus en plus tu te laisses tomber dans le franglais. Je ne trouve même pas tes mauvaises expressions dans le *Larousse.* Qu'est-ce qui t'attire dans le parler hybride que tu affectionnes depuis un moment? Moi, je cultive le beau langage; quand j'arriverai en France, je veux tout comprendre et être comprise.

– *Good luck, my dear!* Si tu t'imagines que tu vas piger l'argot des chauffeurs de taxi ou l'accent des provinces, l'auvergnat, le provençal, l'alsacien!

– Est-ce que je dois me mettre à l'auvergnat à présent? Ne t'inquiète pas pour moi; je ferai face aux situations quand elles se présenteront. En attendant, préparons-nous; il se fait tard.

– On garde nos jeans?

– Tu n'y penses pas, noblesse oblige!

Pour aller voir Miss MacNeill, pas besoin de chichis, mais pour se rendre en visite chez les Delabare, insiste Louisa en riant, il est impérieux de se déguiser. Ariane s'incline.

Toujours élégante, Madame Delabare, en mules blanches à talon doré, une jupe bleu nuit évasée, cintrée à la taille fine sur un simple chemisier de soie, les reçoit gentiment.

– Comme je suis heureuse de vous revoir, est-ce pour nous dire adieu? Louisa m'annonce que les cours sont terminés...

Elle tend le bout de ses doigts peints et pointus, parfaitement manucurés, et proteste :

– Vous êtes sur votre trente et un toutes les deux! Il ne fallait pas. Je ne me suis pas mise en frais pour vous recevoir; je n'ai pas eu le courage! Avec ces températures changeantes, on ne sait plus comment s'habiller. Il y a encore de la neige dans les recoins et déjà il fait si chaud. Mademoiselle Ariane, vous avez une bien petite mine. L'hiver a été dur, n'est-ce pas?

– Le printemps a été long à venir, j'attendais le retour des corbeaux.

– Des corbeaux? Que nous chantez-vous là? Vous voulez dire l'arrivée des hirondelles ou des cigognes, comme dans la chanson. On vous avait prévenue que l'hiver serait interminable! Vous rentrez, je devine votre impatience. Écoutez, j'ai passé plusieurs semaines à Paris au moment des fêtes et me voici prête à faire mes valises.

— Et moi, je ne peux me décider à refermer ma malle!

— Vous avez fait des achats? Vous avez trouvé des choses intéressantes? C'est drôle, ça ne me tente pas, avec seulement des voix étrangères autour de moi. Je ne me sens pas chez moi.

Encore une fois, Madame Delabare inventorie les choses qui lui manquent, et qui font la vie, assure-t-elle.

— Mais à Noël, nous en avons profité au maximum. Avec ma famille, mes amies, je me suis régalée. Elle s'anime. C'était le restaurant, les boutiques, les défilés de mode et le soir, on sortait en grand tralala à l'Opéra, la Comédie française, toutes sortes de réceptions. Le week-end, nous sommes descendus sur la côte dans notre appartement de Nice; nous en avons profité. Les mille petits riens d'une existence normale, quoi!

— Moi aussi, renchérit Louisa, j'adore courir les magasins, quand j'ai le temps, me promener à la Baie ou dans les centres d'achat. On est bien, à l'abri du froid ou de la trop grande chaleur.

— Vraiment? Madame Delabare fait une moue désabusée. Enfin, je ne devrais pas me plaindre, je ne moisirai plus ici très longtemps. Je m'évade pour l'été pendant trois mois, mon mari me rejoindra à Nice début août. Vivement que nous soyons rapatriés! Je m'habitue de moins en moins. J'ai hâte de me réinstaller dans notre bon vieux pays et de n'en plus bouger. Mais pardonnez-moi, je parle et manque à tous mes devoirs

159

d'hôtesse. Ah! voilà notre amie qui m'avait promis une petite visite surprise.

Très sûre d'elle, Rosaline s'avance majestueuse, portant avec brio son ampleur sous une vaste robe à motifs hardis qui découvre le hâle du cou replet et des bras rondelets.

Madame Delabare s'extasie d'une voix de fausset :

– Ma chère, toute bronzée, quel teint splendide! Et nous qui sommes pâles comme des navets!

Les joues pleines de Rosaline fondent en un sourire comblé.

– Eh bien oui, je me suis laissé tenter et je ne le regrette pas. Je rentre des îles Hawaï.

Contente de son effet, elle parle clairement, en séparant les syllabes comme pour une pub :

– Climat adorable, immenses plages de sable, le standing américain allié à l'exotisme de la Polynésie. Parfait, délicieux, c'est superbe, je vous recommande absolument.

Elle se tourne vers Ariane.

– Quel plaisir! J'apprends que vous allez respirer l'air du pays. Chanceuse va! Vous nous abandonnez au milieu du désert pour retrouver la civilisation. Ça vous manquait, n'est-ce pas? Avec une pointe d'ironie, elle demande : et ces vacances de Noël, avez-vous célébré à l'ukrainienne avec Louisa?

Ariane repousse la tentation de lui clouer le bec en

se vantant d'avoir fait du trekking dans l'Arctique avec un guide indien. Elle reste évasive.

Rosaline n'insiste pas. Peu causante, la petite, le genre qui n'a pas grand-chose à dire, qui ne sait pas se mettre en valeur. Dommage! Intarissable, elle se lance sur la piste de ses enfants exceptionnels. Ils poursuivent des études supérieures, dans des établissements parisiens, bien sûr.

– Nous avons commis l'erreur de mettre la plus jeune dans une école de la ville : Josée n'y apprend rien. Figurez-vous que sa prof m'a déclaré l'autre jour que Josée s'épanouissait bien, oui, qu'elle était heureuse! Comme si c'était pour ça que je l'envoie à l'école! On ne leur apprend rien. Les élèves doivent s'instruire par eux-mêmes. Ils passent des heures à la bibliothèque à lire des livres pour écrire des rapports. En classe, au lieu de travailler, de faire des dictées, eh bien, ils discutent de sujets les plus farfelus, de l'arrêt des explosions nucléaires, par exemple.

Madame Delabare interrompt la tirade de son amie :

– Évidemment, tout le monde sait que le système scolaire français est excellent.

– À qui le dites-vous! Tenez, en Afrique, nos enfants étaient tous les trois au lycée français, des professeurs sensationnels, triés sur le volet. Dès les petites classes, ma Josée pouvait réciter par coeur toutes les dates importantes de l'histoire : 1515 Marignan, 1805 Austerlitz... c'était sérieux, au moins.

– Il y en a quand même qui réussissent à s'en sortir, regardez Louisa qui n'a jamais mis le pied en France, comme elle a un bel accent. L'autre jour, elle nous a amené le petit ami d'Ariane. Lui aussi parle très bien.

– Ah oui?

– Un grand blond aux yeux bleus; il avait fière allure dans sa voiture sport dernier cri.

Ariane a l'impression d'être remontée d'un cran instantané dans l'estime de Rosaline, à cause de Rob.

– Que ferez-vous de votre chevalier? demande Madame Delabare, Louisa prétend qu'il vous couve comme son bien. Va-t-il vous escorter?

– Je le crains; il suivra des cours de langue à Paris en septembre, avant de s'inscrire à un institut d'études internationales, à Genève ou à Londres.

– Quelle chance vous avez tous les deux! Et vous Louisa, vous n'allez pas rester en rade?

– Je finis ma maîtrise, je me trouve un travail pour renflouer mes finances, et après ça, à moi le gai Paris et la belle vie! Je viendrai vous voir, nous sortirons ensemble, ce sera sensationnel!

Les deux femmes acquiescent de la tête, sans un mot. Elles ne semblent pas enchantées à la perspective de recevoir leur jeune amie. Louisa ne remarque rien, elle a un large sourire enthousiaste, elle s'imagine déjà à l'Opéra à leurs côtés, habillée en grand tralala elle aussi; elle déguste l'expression.

Ariane croit que Madame Delabare et Rosaline

oublieront d'inviter Louisa dans leur appartement du XVIe. Les barrières sociales, abaissées pour cause d'ennui et de solitude, se rétabliront, dès que les deux dames seront installées dans leur milieu naturel. Elles n'auront plus le temps ni le goût de fréquenter la jeune fille. Malgré les paroles de bienvenue, un écart insurmontable sépare les femmes coquettes, épouses oisives d'hommes d'affaires qui ont réussi, des étudiantes destinées au fonctionnariat laborieux.

Là-bas, l'attend Isa, dans sa maison protégée par les abat-vent, un pan de ciel étroit au-dessus d'une petite ville de pierre.

Mais Ariane sait la forêt, les lacs, les ciels sans frontière. Elle connaît la fulgurance rousse embrasant les arbres illimités en mouvance dorée vers le pôle. Quand les arbres et la prairie ont eu fini de se gorger de soleil, ils se sont éteints pour renaître éblouis de neige. La glace vive à la dure beauté silencieuse d'éternité. Et ce printemps au goût de neige douce et de miel sauvage sous les bourgeons poisseux, poivrés, prêts à crever. Sur la glace, le feu de Littlecrow brûle le coeur des saisons.

Immobile, de retour sur un lac sans nom, un grand oiseau libre, masqué de noir, au corps en damier gris argenté et blanc. Son étrange rire sonore, limpide, moqueur monte vers les cimes. La forêt du Nord, irisée de soleil levant, s'ouvre sans bruit.

Composition chez Jocelyne Laxson
Imprimerie à la maison Hignell